Miguel García Cobo
Beatriz López Luengo

REÍRSE
HACE BIEN

CONSEJOS PARA VIVIR
CON BUEN HUMOR

Autor
Miguel García Cobo
Beatriz López Luengo

Ilustraciones
Luis Ojeda

Director de la colección
Raúl Cremades

Adaptación de los contenidos
Equipo Editorial LATINBOOKS

Derechos de la presente edición
© **LATINBOOKS INTERNATIONAL S.A.**
Montevideo - Rep. O. del Uruguay
info@latinbooksint.com
www.latinbooksint.com

Impreso en Uruguay por Pressur Corporation S.A.

ISBN: 978-9974-679-87-0

Edición 2009

García Cobo, Miguel
   Reírse hace bien : Consejos para vivir con buen humor / Miguel García Cobo y Beatriz
López Luengo. -- Montevideo, Rep. Oriental del Uruguay : Latinbooks International, 2009.
   144 p. : il. ; 13.5 x 19.5 cm.

   ISBN 978-9974-679-87-0

   1. AUTOAYUDA. 2. HUMOR Y SALUD. I. Titulo. II. López Luengo, Beatriz, coaut.
CDD 158.2

Miguel García Cobo
Beatriz López Luengo

REÍRSE
HACE BIEN

CONSEJOS PARA VIVIR
CON BUEN HUMOR

El día más irremediablemente perdido
es aquel en que uno no se ríe.

Nicholas Chamfort

Me viste… te escuché.
Te acercaste… me quedé.
Sonreíste… te abracé.
Ya no quiero separarme de tu lado.

¿QUÉ ES LA RISA?

La risa es una cosa muy seria.

Groucho Marx

Cuentan que en un pueblo italiano vivían dos personas con el mismo nombre, pero diferente oficio. Los dos se llamaban Carlo De Amici. Uno era el sacerdote del pueblo. El otro, el único taxista de la localidad. Ambos mueren el mismo día. Y cuando llegan al cielo, San Pedro pregunta al primero que se acerca a su puerta:

—¿Cómo se llama?

—Carlo De Amici.

—¿El sacerdote?

—No, el taxista.

*"...mientras usted pronunciaba la homilía todos
los feligreses dormían; sin embargo, cuando se
subían al taxi los pasajeros rezaban."*
*Un buen chiste puede hacerte reír, pero hoy nuestra
intención no es provocarte la risa sino
invitarte a reflexionar sobre ella.*

San Pedro analiza con suma atención su expediente. Le dice que se ha salvado y que, afortunadamente, en el cielo le ha correspondido llevar un manto de armiño y un bastón de oro con incrustaciones de piedras preciosas. Seguidamente se acerca el sacerdote, que ha sido testigo de la conversación anterior.

Se presenta, muy jactancioso, como el párroco del pueblo. San Pedro estudia su expediente y le dice que también se ha salvado, pero que le ha correspondido llevar un manto de esparto y un bastón de madera. El sacerdote, con firmeza y cierta indignación, alega:

—Permítaseme mostrar mi desacuerdo con este agravio tan evidente. Yo he sido el párroco de esta localidad durante cincuenta años. He cumplido siempre con mi deber, he visitado a los enfermos, administrado los sacramentos y pronunciado con fervor las homilías cada domingo... En cambio, el taxista era un verdadero desastre conduciendo: se subía a las aceras, conducía embriagado, chocaba contra los árboles, aparcaba en cualquier sitio, superaba la velocidad establecida, tenía accidentes cada dos por tres...

–Sí –dice San Pedro–, lo sabemos. Pero en el cielo hemos aprendido a valorar las cosas como se hace en la Tierra. Ahora solo nos fijamos en los resultados. Y hemos visto que mientras usted pronunciaba la homilía todos los feligreses dormían; sin embargo, cuando se subían al taxi los pasajeros rezaban.

Al leer esta historia es posible que haya aparecido en tus labios una sonrisa, o una mueca que la recuerde, pero si te somos sinceros no es nuestra intención provocarte la risa, sino reflexionar sobre ella, sobre su uso y sobre el sentido de este libro que ahora tienes entre las manos.

Cuando propusimos escribir un libro para "aprender a reír", éramos conscientes de que podía sonar a teoría del absurdo, pues juntábamos dos palabras que en principio pueden chocar, como son "aprender", que implica adquirir conocimientos y/o experiencias que nos van conformando como personas y como seres con identidad propia; y "reír", que es algo que todo el mundo hace, que nos viene de nacimiento y que, por tanto, en principio nadie adquiere (no es usual ir a ningún establecimiento y pedir que te sirvan o administren dos unidades de risa).

Si nos quedamos en esta concepción y hacemos como en la historia, es decir, valorar únicamente los resultados, concluiríamos que todo el mundo sabe reír; pero si nos preguntamos por qué algunas personas ríen más que otras o por qué los niños se ríen más que los mayores o por qué nos cuesta tanto reírnos de nosotros mismos... (así podríamos seguir con un largo listado de planteamientos), podemos concluir que la risa, ese regalo que nos hace la naturaleza, se puede perfeccionar, sacarle el máximo rendimiento y puede contribuir a que nuestra vida sea más dichosa y, junto con ella, la de quienes nos rodean.

Por tanto, creemos firmemente que la risa no solo se puede aprender, sino que se debe aprender. Y con esta afirmación exhortativa te invitamos a que te adentres en la cueva más maravillosa que existe, que se llama ser humano, y cuya entrada es una boca que sonríe.

PRIMER ACERCAMIENTO: CONCEPTO

¿Qué es para ti la risa? Si tuvieras que dar una definición de esta palabra es muy probable que, de manera inmediata, por encima de palabras o concepto alguno, acudan a tu mente imágenes, situaciones y sensaciones que relacionas con dicho vocablo. Esto nos hace pensar que, más allá de la definición más o menos exacta que podamos tener o manejar, nos resulta bastante fácil la identificación de este,

No nos resulta difícil identificar la risa, ya que es un fenómeno natural que todos los seres humanos experimentamos. Sin embargo. definirla puede ser complicado ya que es un proceso diferente en cada persona.

llamémoslo así, "fenómeno" natural relacionado de manera directa y de forma casi exclusiva con el ser humano.

Contrariamente a lo que pueda parecer, definir la risa es bastante complicado pues implica describir un proceso que es diferente en cada persona, puesto que cada ser humano es único e irrepetible –mientras la clonación no demuestre lo contrario–, y las causas que generan la risa son también numerosas (felicidad, sorpresa, triunfo, confusión...). No obstante, se pueden esbozar algunos aspectos comunes a todas las personas en cuanto a los resultados que conlleva el acto de reír, así como a la expresión de la risa en sí misma.

Como un primer acercamiento más academicista, tomemos la definición que recoge el Diccionario de la Real Academia de la Lengua Española, que dice así:

RISA: (De *riso*)

1.f. Movimiento de la boca y otras partes del rostro, que demuestra alegría.

2.f. Voz o sonido que acompaña a la risa.

3.f. Lo que mueve a reír.

Si buscamos la palabra "reír", nos encontramos con la siguiente definición:

REÍR: (Del lat. *ridere)*

1.tr. Celebrar con risa algo.

2.intr. Manifestar regocijo mediante determinados movimientos del rostro, acompañados frecuentemente por sacudidas del cuerpo y emisión de peculiares sonidos articulados. U.t.c.prnl.

Tomando como guía estas dos definiciones, podemos observar que la risa se identifica con ciertas expresiones del cuerpo que están relacionadas con sensaciones de felicidad, alegría y, en definitiva, con algo positivo y que hace que nos sintamos bien.

Siendo esto así en primera instancia, podemos observar que hay muchas maneras de reír, en función de la situación y de la forma en la que analicemos la causa o el contexto que rodea cada momento. De cualquier modo, la risa y el acto de reír son algo a lo que tendemos o buscamos de manera más directa o indirecta la mayoría de los seres humanos. Por consiguiente, es preciso tomar conciencia de que la risa es, paradójicamente, lo bastante seria como para tenerla bien definida, identificada e interiorizada, a fin de poder sacarle el máximo provecho. Esperamos que una vez que termines de leer este libro, además de exhibir una sonrisa en tu rostro, hayas llegado a una comprensión más exacta y práctica para tu vida del reír y de todo lo que implica.

ORIGEN Y DESARROLLO

Entre toda la diversidad de razas y etnias que pueblan el planeta, con sus consiguientes diferencias físicas, sociales, culturales..., se ha observado que en todas ellas existen unas respuestas comunes, en cuanto a expresiones y gestos de la cara, ante diferentes causas, bien sea miedo, sorpresa, desconcierto o alegría. Es decir, cualquier ser humano, sea cual sea su lugar de procedencia, su lengua, su color de piel o su cultura, tenderá a sonreír para expresar alegría y felicidad y lo mismo ocurrirá, pero con otras expresiones y su consiguiente manifestación gestual, con la sorpresa, la confusión o el miedo.

Esto sucede porque la sonrisa es una expresión inherente al ser humano. Además, la acción de reír se encuentra más allá de la percepción sensorial. Por ejemplo, si observamos a un niño ciego de nacimiento, comprobaremos que sonríe como respuesta a algo que le gusta, pese a no haber tenido la oportunidad de ver y conocer las

*Cualquier ser humano, sea cual sea su origen,
lengua, etnia o color de piel, tenderá a sonreír para
expresar alegría y sentimientos positivos, y usará otras
tantas expresiones gestuales para expresar
los sentimientos negativos.*

expresiones emocionales; también un niño sordo responderá de manera similar.

Todos los niños de todas las culturas sonríen. Desde la psicología evolutiva se ha estudiado cómo a partir de las seis semanas de vida el pequeño comienza a sonreír, sobre todo si se le estimula a hacerlo, dando pie a que, a partir de ese momento, se vea inmerso en un largo periplo de causas que le provocarán una sonrisa a lo largo de su existencia. No obstante, a medida que la persona se desarrolle, el número de veces que sonreirá irá disminuyendo, pues numerosos condicionantes culturales y experienciales harán de filtro selectivo. En esta línea apuntan los datos obtenidos por un estudio realizado con niños de entre siete y diez años, donde se comprobó que los niños se ríen unas 300 veces a lo largo del día, mientras que esta cifra desciende hasta alrededor de 80 en una persona adulta, en el mismo espacio de tiempo.

La sonrisa constituye el primer lenguaje del pequeño. Las sonrisas compartidas le ofrecen una vía de comunicación, de interacción y de relación. El niño aprende pronto, por ejemplo, que la sonrisa atrae la atención de los demás, siendo esta una manera de comunicar sus necesidades. La risa tarda un poco más en aparecer. Los primeros signos visibles de la risa suelen producirse entre la cuarta y décima semanas de vida.

¿La risa y la sonrisa son lo mismo? Mientras que hay teorías que defienden que la risa es una evolución de la sonrisa, otras aseguran que risa y sonrisa son dos conceptos independientes; no obstante, todas coinciden en afirmar que la risa juega un papel similar al de la sonrisa en la creación y mantenimiento de relaciones interpersonales positivas y gozosas.

Volviendo a la sonrisa, cabe preguntarse cómo se origina esta. Se han postulado diversas teorías que intentan explicar de dónde procede la sonrisa, si bien sigue sin estar del todo claro. Por ejemplo, el modelo conductista afirma que la sonrisa surge como un insignificante movimiento facial fortuito que, al ser reforzado por la madre con atención, caricias, sonrisas, abrazos..., el niño tiende a repetir. Otra explicación alternativa es la que propone la Gestalt, que explica que la sonrisa sería la contrapartida natural al llanto: sonreír evocaría confort y cuidado mientras que el llanto expresa incomodidad y desacuerdo. Para el psicoanálisis, la sonrisa es una respuesta de placer a las caricias, mientras que otras teorías sostienen que es un reflejo físico que responde especialmente al cosquilleo. Hay quienes postulan que la sonrisa evoluciona a partir de movimientos musculares de los labios y de la boca durante el amamantamiento; por ello, se cree que al niño le gusta sonreír porque al hacerlo imita los placenteros movimientos que realizaba durante la nutrición.

Independientemente de la explicación que ofrezcan, algo en lo que coinciden la mayoría de las teorías es en que, al principio, sonreír constituye solamente un comportamiento físico que, poco a poco, va evolucionando hasta convertirse en una conducta emocional y mental. Insisten en señalar que una vez asimiladas, la risa y la sonrisa desempeñan una función vital que contribuye a favorecer y potenciar las relaciones interpersonales.

Quisiéramos finalizar este apartado explicando que, aunque existe la idea generalizada de que la raza humana es la única especie que sonríe, no debemos caer en una sobredosis de egocentrismo y pensar que la capacidad de alegría, de gozo y, consecuentemente, la expresión de estas emociones, son también genuinas del *homo sapiens*. Existen otras especies animales con capacidad o necesidad de mostrar estos estados como hacen, por ejemplo, los perros cuando mueven la cola... o ¿acaso alguien piensa que cuando el perro mueve la cola está saludando a las moscas?

*La risa espontánea surge cuando el emisor
no puede frenar la acción de reír, dado que se trata
de una acción involuntaria generada cuando se ve algo
inesperado que puede resultar gracioso.*

(Reírse hace bien)

 Tipos de risa

Existen infinitos tipos de risa, tantos como adjetivos queramos usar, pero para no desbordar con información que posiblemente aburra al lector, hemos optado por presentar una clasificación básica de los diversos tipos de risa guiados, en primer término, por variables o coordenadas de comunicación, pues ya en el apartado anterior concluimos lo importante que son la sonrisa y la risa como medio y herramienta para expresar y comunicar. Partiendo de esta premisa podemos diferenciar dos tipos de risa:

1. Risa espontánea: Surge como una acción espontánea y no premeditada. En este caso la acción de reír surge *motu proprio* del emisor y es una acción difícil de frenar, pues se trata casi de una acción involuntaria a la que no le da tiempo a pasar por el filtro de la razón y ser impregnada por condicionamientos culturales ni de ningún componente cognitivo. Podemos experimentar este tipo de risa cuando vemos algo inesperado, resultándonos gracioso el simple hecho de que suceda, como por ejemplo ocurre en el típico vídeo doméstico en el que se produce una caída o cualquier otro evento que irrumpe en la escena que se está presenciando, dándole un tinte absurdo y sorpresivo a toda la situación.

2. Risa planificada: Se produce cuando la risa surge de manera espontánea, pero con un componente de planificación o de previsión…

…Interrumpimos la explicación para concedernos unos momentos de descanso leyendo este chiste:

Tres hombres están sentados en un sauna. De pronto se oye un sonido raro. El primer hombre aprieta su antebrazo y cesa el sonido. Los otros dos lo miran con cara de sorpresa.

–Es mi sensor de calor –dice–; en mi brazo tengo un microchip debajo de la piel que me indica la temperatura límite que programo alcanzar en mi cuerpo.

Unos minutos después suena un teléfono. El segundo hombre levanta la palma de su mano y la apoya contra el oído. Cuando termina de hablar explica:

–Es mi teléfono móvil, tengo un microchip insertado en la mano.

El tercer hombre, sintiéndose totalmente ajeno de los avances tecnológicos que estaba presenciando, sale del sauna. Pocos minutos más tarde vuelve con un largo pedazo de papel higiénico que le sale de entre los glúteos. Los otros dos lo miran extrañados y él explica:

–Es queeee... ¡¡¡estoy recibiendo un fax!!!

Suponemos que al leer este chiste te habrá surgido la risa o habrás esbozado una sonrisa. Independientemente de nuestra capacidad para la narración o de lo más o menos buena que sea la historia, esta risa puede ser debida a que al tener en tu consciente la información de que lo que venía a continuación era algo que podía resultar gracioso, y por consiguiente provocar la risa, tu actitud es de predisposición favorable ante tal posibilidad.

Con este ejemplo práctico queremos explicar que cuando se da esta risa, hay una acción también espontánea, pero subyace un componente de predisposición a la acción de reír, es decir, tenemos una actitud previa para estar abiertos a cualquier cosa que nos resulte graciosa, simpática o agradable (pues ya hemos dicho que la risa puede servir para comunicar alegría, sorpresa, afectividad, etc.). Con esto no queremos decir que la risa sea falsa, ni tan siquiera forzada, pero sí es de destacar que desde nuestra conciencia hay conocimiento de que en el entorno o la situación

La risa provocada es la que se origina por un acontecimiento o percepción externa al individuo.

en la que estamos se da la posibilidad de que surja dicho momento.

Desde esta perspectiva, tenemos una actitud de no poner freno al más mínimo atisbo de sonrisa. Esto también lo podemos experimentar cuando vamos a algún espectáculo cómico y somos conscientes del tono que va a predominar en el ambiente, en el que habrá cosas que nos provocarán la risa fácilmente y otras que estarán influenciadas por este ambiente de forma que, posiblemente, en otro contexto no nos habrían hecho reír.

Al margen de estas dos posibilidades o tipos de risa, podemos hacer otra diferenciación en función de que la risa tenga una proyección externa o sea todo un proceso interno de la persona que ríe. Desde esta perspectiva nos encontramos los siguientes tipos de risa:

1. Risa provocada: Hace referencia a cuando la risa está provocada por algo externo al individuo. Esta modalidad tiene una cierta correlación con las citadas anteriormente, pues tiene en cuenta tanto a la persona protagonista como al estímulo que genera la acción de reír. Es el resultado de cualquier acontecimiento o percepción externa al individuo y cuyo procesamiento cognitivo da como resultado la risa. Hay que destacar que es imprescindible que exista algo o alguien externo al sujeto riente que provoque en él el efecto de la risa. Un ejemplo de este tipo de risa lo tenemos en cualquiera de las múltiples situaciones que vemos o sentimos a diario y que nos provocan una sonrisa.

2. Risa autogenerada: La risa viene generada por la propia persona que la ejerce. En este caso el sujeto que ríe no necesita de ningún estímulo externo a él para ejercitarse, sino que todo viene dado por un proceso cognitivo que sólo el protagonista entiende y que provoca que la acción se limite a algo personal y sólo comprendido por este. Ejemplo de este tipo de risa lo encontramos en aquellas situaciones que nos provocan la risa como resultado de establecer nosotros mismos relaciones entre hechos, personas, recuerdos, etc., pero no las podemos explicar debido a la dificultad de comprensión de nuestro entramado mental o que, una vez contado, los demás no ven por ningún lado motivo alguno para reírse.

Como indicamos al principio del apartado, hemos optado por clasificar la risa en función de su contextualización, pues a nuestro entender esta variable resulta un elemento clave para entenderla y dimensionarla. No obstante, queremos comentar que en la risoterapia, de la que se hablará más adelante, se realizan múltiples ejercicios para reconocer y potenciar la capacidad de reír. Algunos de estos ejercicios se centran en la emisión de distintos fonemas y sonidos que evocan y estimulan la risa pero centrando la atención en alguna capacidad o efecto que ejerce sobre nosotros mismos. Cada ejercicio se identifica con un nombre diferente para la risa practicada, y esto genera un listado de risas tan extenso como permita la creatividad de los terapeutas.

☺ PARA RECORDAR ☺

- Reír es algo que todo el mundo hace y que, en principio, nadie aprende. Si aceptamos esto deberíamos concluir que todo el mundo sabe reír; pero si nos preguntamos por qué algunas personas ríen más que otras o por qué los niños se ríen más que los mayores, entenderemos que la risa se puede perfeccionar. Creemos firmemente que la risa no solo se puede aprender, sino que se debe aprender.

- Definir la risa es difícil pues se trata de un proceso que es diferente en cada persona. Sin embargo, se pueden mencionar algunos aspectos comunes a todas las personas en cuanto al acto de reír, así como a la expresión de la risa en sí misma.

- La risa se identifica con ciertas expresiones del cuerpo que están relacionadas con sensaciones de felicidad, alegría y sentimientos positivos.

- En todas las etnias del planeta existen respuestas comunes, en cuanto a expresiones y gestos de la cara, ante diferentes causas. Es decir, cualquier ser humano, sea cual sea su lugar de procedencia, su lengua, su color de piel o su cultura, tenderá a sonreír para expresar alegría y felicidad.

- La mayoría de las teorías sobre el origen y el desarrollo de la risa coinciden en que, al principio, sonreír constituye solamente un comportamiento físico que evoluciona hasta convertirse en una conducta emocional y mental de suma importancia para establecer y mantener relaciones interpersonales.

- Existen infinitos tipos de risa, pero hemos optado por presentar una clasificación básica de ellos. Primero, por variables de comunicación, podemos diferenciar dos tipos de risa:

  - **Risa espontánea:** Surge como una acción espontánea y no premeditada. En este caso la acción de reír surge *motu proprio* del emisor y es una acción difícil de frenar.

  - **Risa planificada:** Cuando se da esta risa, hay una acción también espontánea, pero subyace un componente de predisposición a la acción de reír, es decir, tenemos una actitud previa para estar abiertos a cualquier cosa que nos resulte graciosa, simpática o agradable.

- Otra diferenciación puede hacerse en función de que la risa tenga una proyección externa o sea todo un proceso interno. Desde esta perspectiva nos encontramos los siguientes tipos de risa:

  - **Risa provocada:** Hace referencia a cuando la risa está generada por algo externo al individuo.

  - **Risa autogenerada:** La risa viene generada por la propia persona que la ejerce. El sujeto que ríe no necesita de ningún estímulo externo, sino que todo viene dado por un proceso cognitivo que sólo el protagonista entiende.

¿POR QUÉ REÍR?

La sonrisa cuesta menos que
la electricidad y da mucha más luz.

Proverbio escocés

Responder a la pregunta "¿por qué reír?" sería como responder a "¿por qué ser felices?". Quizás, si se escribiesen unos mandamientos o leyes vitales y universales, el primero prescribiría que "todo ser vivo tiene la obligación de disfrutar la vida", porque para eso la tiene, y, por consiguiente, su obligación es ser feliz.

Esto, que en principio no viene impuesto por ningún estamento extraterrenal ni forma parte de ningún mandato gubernamental (¡ojalá!, así los gobiernos se verían obligados a poner su granito de arena), no está falto de todo el sentido común existente en el orbe. De alguna manera todo el mundo, de una u otra forma tiende con su conducta a

"No puedes evitar que los pájaros de la tristeza
vuelen sobre tu cabeza, pero sí puedes evitar
que aniden en tu cabello."
Según este proverbio chino, la manera en que nos afecten
los problemas dependerá de nuestra actitud hacia ellos.

alcanzar la felicidad –o lo que por ella entienda. Pero ante esta supuesta ley vital, ¿cómo debería actuar uno para poder cumplirla?

Dice un proverbio chino:

> *No puedes evitar que los pájaros de la tristeza vuelen sobre tu cabeza, pero sí puedes evitar que aniden en tu cabello.*

Es evidente que en nuestra mano no está el controlar los sucesos ni el mundo exterior, pero sí podemos controlar el modo en que los vemos y también nuestra respuesta ante ellos, de manera que no nos afecten negativamente o que, en caso de que sea inevitable, esa negatividad se minimice. Para conseguir esto, la risa es una herramienta de la que disponemos, que, como estamos viendo, "nos viene de fábrica", y de la que nos podemos servir para tan noble fin.

Aunque a lo largo de este capítulo explicaremos el mecanismo que se activa en nuestro organismo y los consiguientes beneficios que nos aporta la risa, dejamos a título de curiosidad el considerar la risa beneficiosa por una cuestión de economía: para llorar necesitamos poner en acción más de treinta pequeños músculos del rostro, mientras que para que una cara exprese la risa solo necesitamos que se pongan a trabajar fundamentalmente tres músculos: el risorio de Santorini, el cigomático mayor y el elevador del ángulo de la boca; por tanto, quien dijo aquello de que en tiempos de crisis es incuestionable el valor de una sonrisa, sabía por qué lo decía.

CAUSAS DE LA RISA

Una sonrisa es una semilla que crece en el corazón y florece en los labios.

Martha Stevenson

Si partimos de una perspectiva fisiológica, podemos explicar la risa como una respuesta, es decir, un reflejo ante un estímulo físico o psíquico. Dicha respuesta es física y, como todo reflejo, es de un carácter involuntario.

Junto con los músculos de la cara mencionados en el apartado anterior (risorio de Santorini, cigomático mayor y elevador del ángulo de la boca), el diafragma actúa provocando unas contracciones involuntarias que dan lugar a movimientos de inspiración y espiración, seguidos de espasmódicas contracciones de los músculos respiratorios (intercostales y escalenos). Esto, unido a la relajación de otros grupos musculares, da lugar a la vocalización que reconocemos onomatopéyicamente como "¡ja, ja, ja…!". Este proceso, que provoca la mencionada vocalización, da lugar a una expansión de la caja torácica en sus tres dimensiones y, por consiguiente, aumenta y mejora la capacidad respiratoria. No insistimos en los beneficios de una buena respiración pues tendríamos materia para otro libro, si bien más adelante explicaremos los numerosos beneficios que nos aporta el acto de reír.

También podemos explicar la risa atendiendo a la clasificación establecida anteriormente en cuanto a los tipos de risa. De este modo, haciendo una sencilla división, las causas pueden ser **endógenas** o **exógenas**. A partir de aquí, las motivaciones que las acompañen pueden ser tantas y diversas como personas y circunstancias haya.

Es importante aclarar que si bien es cierto que un chiste puede provocar la risa, no hay que hacer de esta proposición una sentencia absoluta que nos lleve a actuar de modo simplista y convirtamos el chiste y lo cómico en una fórmula magistral. Con esto sólo conseguiríamos empobrecernos al entender el rico entramado de emociones, situaciones y experiencias que conforman al ser humano como un camino hacia la parodia, algo que, cuando menos, resulta grotesco.

La risa, a pesar de todos sus beneficios, tiene también un posible lado negativo. Nos referimos a los casos en los que la risa es producto de la ridiculización de los demás.

Cabe resaltar, al margen de los beneficios que aporta el acto de reír, el uso que se puede hacer de la risa, puesto que ésta también puede estar contaminada por intenciones no tan sanas. Esto sucede, por ejemplo, cuando la risa es un reflejo de la ridiculización u otro fin parecido en tanto en cuanto provoque en alguien incomodidad o malestar.

Puesto que la filosofía que nos mueve en este libro es el despertar y potenciar una risa sana, incidimos en que nuestras reflexiones y propuestas siempre van dirigidas desde causas positivas y hacia un fin igualmente beneficioso; entendiendo por positivo toda aquella acción, manifestación y resultado que mejore, enriquezca o facilite nuestra vida y la de otras personas o seres vivos sin perjuicio de nada ni de nadie.

Y TÚ ¿DE QUÉ TE RÍES?

Reírse de todo es de tontos, pero no reírse de nada es de estúpidos.

Erasmo de Rotterdam

Nuestra propuesta pedagógica se basa en la observación, la reflexión y la acción. Desde este principio de aprendizaje creemos necesario que, tras haber leído hasta este punto, observes cuánto y cómo ríes en tu vida diaria...

Seguramente en un primer repaso te vengan con facilidad a la memoria momentos y circunstancias concretas, pues serán los espacios en los que tú identificas la risa más claramente por su intensidad o por su frecuencia. Esos momentos son necesarios y no carecen de importancia, pero consideramos conveniente que repares en el resto del tiempo que no sale en esa primera visualización y que tenemos la tendencia de definir como momentos intrascendentes, monótonos o normales.

Convencidos de que las grandes obras se construyen a base de pequeños detalles, te proponemos una tarea.

Repasa esa cotidianeidad desapercibida, como si escaneases la jornada, y pudieses dibujar una gráfica con los resultados que obtengas. Esos momentos álgidos y fáciles de reconocer te pueden servir como una referencia para situar la puntuación máxima, y los momentos en los que te sientes más decaído, triste o melancólico serán la referencia para la puntuación mínima. En el intervalo que media entre estos dos extremos se dibujará tu día.

Intenta recordar con la mayor precisión posible todos los momentos que hayas vivido a lo largo de la jornada. Rememora el momento, de manera que tengas conciencia de si estabas solo o acompañado, si era un lugar conocido o desconocido, etc., y de esta forma busca todas las variables informativas que consideres interesantes de analizar. Te puede resultar de ayuda para hacer este registro analizar las dos referencias límite que utilizaste, de manera que te den pistas de lo que consideras que tenías, te faltaba o sentías en esos momentos para haberlos elegido como máximo y mínimo.

A partir de aquí, comienza a recorrer el día desde el momento en que abriste los ojos por la mañana, describiéndolo todo como si de un diario de a bordo se tratase. Reconstruye lo que hiciste en cada momento y en cada lugar, las cosas que viste, las que miraste pero no viste. Intenta rastrear la memoria de forma concienzuda de manera que repares ahora en lo que no reparaste en su momento por esa inercia que nos conduce en muchas ocasiones y que hace que nuestra mirada esté fijada en el destino y nos olvidemos del paisaje.

Puede ser útil pensar qué cosas hubieran hecho falta en esas situaciones concretas para que, en lugar de ser un "momento inadvertido", hubiese quedado registrado como un "momento negativo".

*Cuando recorras tu día mentalmente lo más
probable es que surjan las ocasiones más concretas
en que has reído. Sin embargo, para nuestro propósito,
es más útil detenerse en las cosas cotidianas,
que en general pasan desapercibidas.*

Reírse hace bien

No queremos que pienses qué cosas nuevas tendrían que haber sucedido, con la idea de añadirlas, sino cómo se habría modificado la situación si no se hubieran dado las que estuvieron presentes. No te pongas limitaciones, cualquier cosa que estuviera puede ser eliminada: colores, iluminación, personas, puntualidad, actitudes, condiciones climáticas, el suelo que pisas, tu cuerpo, las cosas que ves, el hecho de ver... continua tú esta lista sin fin (en cada veinticuatro horas se encierra un infinito). Dice un refrán que las cosas se valoran realmente cuando se pierden. A lo largo del día habrás tenido muchas cosas, pero creemos interesante que en tu mente las des por perdidas durante un momento: ¿cuánto valen para ti ahora?

Posiblemente te sorprenderá descubrir la cantidad de cosas que han pasado delante de tus ojos, que han contribuido a que tu día no fuese todo lo negativo que podría haber sido, y que sin embargo tú no has sido consciente de su presencia ni, por supuesto, de su magnitud.

En esta gráfica que te proponemos representa los dos días: el real, que es el que apareció en primer término en tu memoria; y el hipotético, que es aquel en el que te habrían faltado esas cosas que tuviste y que sin duda te habrían condicionado de manera diferente toda la jornada. Puntúa cada momento de ambos días y compáralos.

Si te hubieses quedado sólo con el análisis del primer día, teniendo en cuenta la medición que has utilizado basándote en tu escala de felicidad personal, es posible que hubieras logrado una puntuación que haría que considerases tu día de lo más anodino. Al hacer el hipotético día carente de "las cosas normales", seguramente obtengas otra puntuación que, sin duda, hará que pase de día anodino a día catastrófico.

No te quedes sólo ahí. Nada más lejos de nuestra intención que conducirte a la resignación ni al "mal de muchos, consuelo de tontos".

Si tomas entre tus manos una hoja en blanco con un punto negro en el centro y lo muestras preguntando: ¿Qué hay aquí?... Tú ¿qué responderías? Seguramente la gran mayoría de las personas responderá: "Un punto negro". Pero... ¿y la hoja?, ¿no existe?, ¿no se ve? La verdad es que habitualmente no se la tiene en cuenta.

En cierto modo, la mayor parte de las personas tendemos a funcionar con este esquema reduccionista, en el que confundimos la parte con el todo. En muchas ocasiones anulamos y omitimos aspectos esenciales de los acontecimientos por considerarlos fijos y "normales," y esto lleva a que su valor fundamental nos pase desapercibido. No nos podemos plantear ir a ningún sitio si no sabemos previamente dónde y cómo estamos, qué tenemos y qué nos falta. Sin estas premisas claras cualquier planteamiento puede llevar a la equivocación de sobredimensionar una situación porque sencillamente infravaloramos otra.

Una vez que seas un poco más consciente de la realidad que has vivido, te puedes plantear qué respuesta has tenido ante esta: ¿has sonreído?, ¿has estado alegre?, ¿lo has manifestado de alguna forma?, ¿has compartido esa alegría?... La respuesta a estas preguntas te puede ir dando la clave de cómo gestionas tu capacidad para reír y disfrutar.

¿REÍRSE DE... O REÍRSE CON...?

No podemos estar enojados mucho tiempo con alguien que nos hace reír.

Jay Leno

Afortunado el hombre que se ríe de sí mismo, ya que nunca le faltará motivo de diversión.

Habib Bourguiba

Ya no cabe la menor duda de que la risa es un elemento de comunicación; ahora bien, el uso

"Reírse de..." suele expresar una actitud individualista y utilitarista de la risa, por el contrario "reírse con..." nos ayuda a establecer vínculos en base a la confianza mutua.

que de esa comunicación hagamos es otro tema del que se puede hablar largo y tendido. En este punto podemos diferenciar la intencionalidad que le ponemos a esa risa, pues como elemento influyente en las relaciones sociales puede potenciarlas u obstaculizarlas.

Podemos apuntar que **"reír de..." suele encerrar una actitud utilitarista, individualista e incluso defensiva del que se ríe, mientras que "reír con..." ayuda a sentirnos más conectados y unidos.** El compartir la risa o "reír con...", conlleva un actitud de apertura y confianza.

No debemos confundir el "reírse de..." con "reírse por...". En lo primero hay un cierto poder del que ríe sobre el que "es reído", existiendo una relación vertical entre ambos elementos, mientras que en el segundo caso la risa surge como consecuencia de un acontecimiento que ha sucedido, estableciéndose una relación horizontal (no hay poder de una parte sobre otra).

Existe una tercera posibilidad que es "reírse de...", pero "riéndote con...", es decir, hacer uso de algo o alguien para la risa, pero haciéndolo en compañía. A fin de cuentas es pluralizar esa actitud individualista y desconfiada. Igualmente se puede pluralizar el "reírse con...", "riéndote por...", que es la risa sana en compañía por algún acontecimiento.

Aunque "reírse de..." tiene unas connotaciones negativas, hay una excepción, como toda regla que se precie: cuando te ríes de ti mismo. En este caso, tal circunstancia conlleva una toma de conciencia de uno mismo, muestra un ego sano, ayuda a tener confianza en uno mismo e incluso nos fortalece. La persona a la que gusta bromear sobre sus triunfos y sus fracasos se gana el respeto de los demás. Ser capaz de parodiarse a sí mismo es una virtud que todo el mundo, en una u otra medida, debería desarrollar, pues con ello muchos complejos entrarían a formar parte de los libros de historia como algo pasado y extinto.

De entre todas las opciones, la más enriquecedora es, sin duda alguna, la risa sana en compañía, sin ningún atisbo de utilización ni ridiculización.

Hay estudios que han investigado los efectos de reír en compañía y las diferencias que existen con respecto a reír en solitario. En la Universidad de Nevada, en Estados Unidos, se llevó a cabo un experimento en el que participaron 162 voluntarios cuyas expresiones faciales fueron filmadas mientras veían una película cómica. Se hicieron diferentes pruebas a los participantes cuando se encontraban solos y estando acompañados. Los resultados mostraron que la frecuencia y duración de la risa eran significativamente superiores cuando los individuos estaban acompañados en comparación a cuando se encontraban solos, a pesar de que la valoración sobre la comicidad de la película fuera la misma en las dos ocasiones.

Este experimento nos trae a la mente el concepto de "risa contagiosa". En ocasiones parece que la risa funciona como si fuera un virus que se propaga de cuerpo en cuerpo, ya que el hecho de oír reír a otras personas nos incita también a nosotros a hacerlo. Esto se suele ver en la televisión, en algunas series que incluyen lo que se conoce como "risas enlatadas" y que sirven de guía para indicar, según los realizadores, dónde está la broma o el punto cómico y, por consiguiente, dónde nos tenemos que reír. Esto que, visto así, puede resultar frío y calculador, produce un resultado bastante bueno, pues aunque no es una fórmula matemática y no todas las risas nos contagian, nos orientan sobre el tono de la serie, dado que el hecho de oír dichas risas nos informa y predispone para la finalidad del espacio.

Otro ejemplo curioso sobre la diferencia de reír en compañía y en solitario lo tenemos en el estímulo que producen las cosquillas. Estas son un fenómeno al cual reaccionamos con risa solo

*Algunos estudios han comprobado que reír
en compañía no sólo es más fácil,
sino también más placentero.*

Reírse hace bien

si son producidas por otra persona; en cambio, si nos las realizamos nosotros mismos no nos provocan ningún efecto risorio. En el Instituto de Neurología de la Universidad de Londres se hizo un experimento para averiguar por qué uno no se ríe cuando se hace cosquillas a sí mismo. Para ello participaron una serie de sujetos en los que se analizaron las imágenes de sus cerebros mientras se hacían ellos mismos cosquillas en la palma de su mano, comparándolas con las imágenes cuando las cosquillas se las provocaba otra persona. Se observó que las áreas del cerebro implicadas en la respuesta al tacto y al placer se activaban en menor medida cuando las cosquillas se las hacía uno mismo en comparación con cuando se las hacía otra persona. Según los investigadores esto es debido a que el cerebro conoce de antemano lo que va a suceder y el efecto de tales cosquillas queda atenuado por la ausencia de lo que podemos considerar como el "factor sorpresa".

Queremos terminar este apartado haciéndole un guiño al olimpismo e incidir en la idea de que, solo o acompañado, cuando la risa es sana, lo importante es participar.

BENEFICIOS DE LA RISA

La risa es el más saludable de los ejercicios.

Christoph Wilhelm Hufeland

Reír es una actividad de lo más saludable. La Organización Mundial de la Salud entiende la salud como el correcto y equilibrado desarrollo en tres aspectos de la persona: **a nivel físico, a nivel psíquico y a nivel social**. Hemos realizado ya un primer acercamiento desde el plano social en lo que respecta a reconocer la risa como elemento facilitador de la comunicación. A continuación, también te presentamos algunos de los beneficios que en el plano físico y psíquico podemos disfrutar con el ejercicio de la risa. Incluso nos atrevemos a afirmar que los cambios que se producen en la persona alcanzan un plano espiritual o filosófico que trasciende a la propia existencia física y ayuda a darle un sentido.

☺ A nivel fisiológico

Aristóteles describía la risa como "un ejercicio corporal valioso para la salud". Más recientemente, el psicólogo estadounidense William Fry decía que "cinco minutos de risa equivalen a 45 minutos de ejercicio físico. Reír aumenta la capacidad pulmonar, ayuda a la circulación de la sangre, da un masaje vibratorio a todo el cuerpo, aleja temores, elimina toxinas y potencia el sistema inmunológico". La risa parece ser, pues, una experiencia en la que participan sistemas principales tales como el muscular, nervioso, cardíaco y digestivo. Veamos detenidamente en qué nos beneficia la risa:

- **Con cada carcajada se ponen en marcha cerca de cuatrocientos músculos** (incluidos algunos del estómago que solo se pueden ejercitar con la risa). Las articulaciones de la columna vertebral, donde por lo general se acumulan tensiones, se estiran; al mismo tiempo se produce una poderosa relajación del sistema nervioso parasimpático, lo que hace disminuir la contracción de una serie de músculos blandos que están controlados por dicho sistema, reduciéndose por este medio la tensión y el estrés, y facilitando la relajación. Esta relajación de los músculos es la responsable de algunos de los efectos que pueden ocurrir con la risa, como una mayor salivación, secreción lacrimal e incluso micción incontrolada.

- Al mismo tiempo, **la reducida actividad del sistema nervioso simpático flexibiliza y relaja**

Ya Aristóteles describía la risa como un "ejercicio corporal valioso para la salud". Más cerca en el tiempo, William Fry sostuvo que 5 minutos de risa equivalen a 45 de ejercicio físico, gracias a todas las partes de nuestro cuerpo que entran en acción.

también la rigidez corporal, que incluso puede llegar a provocar una pérdida de la postura erecta.

- Al estirar y estimular los músculos de la cara, la risa también tiene un **efecto rejuvenecedor, actuando como tonificante y antiarrugas**.

- Como consecuencia de los espasmos que se producen en el diafragma al reír, se produce un masaje interno en los pulmones, corazón, hígado, riñones, bazo, estómago, páncreas, intestinos… Esta estimulación **facilita la digestión, evita el estreñimiento, mejora los procesos renales y la eliminación de la bilis, y ayuda a reducir los ácidos grasos**. Al reactivar el sistema linfático, además de favorecer la eliminación de toxinas ayuda a adelgazar.

- La risa constituye un **buen ejercicio aeróbico que ventila los pulmones a la vez que calienta y distiende los músculos, los nervios y el corazón**. Entra el doble de aire en los pulmones (se mueven doce litros de aire en lugar de los seis habituales), permitiendo una mayor oxigenación de la piel. Al igual que el ejercicio físico, acelera el ritmo cardíaco, eleva la tensión sanguínea, hace más rápida la respiración, expande la circulación y fomenta la entrada y salida de oxígeno. Es preciso observar que cuando nos reímos, las diferentes fases de la respiración se ven considerablemente aumentadas: la inspiración es más profunda, la pausa respiratoria es más extensa que en reposo y la espiración, entrecortada, es amplia y prolongada (esto vacía casi por completo los pulmones del aire residual que contienen en estado de reposo). Dado que el masaje interno que producen los espasmos del diafragma alcanza también a los pulmones y al corazón, fortaleciéndolos, **la risa ayuda a prevenir el infarto**.

- Las carcajadas generan una sana fatiga que **combate el insomnio**.

- Con las lágrimas que se producen con las carcajadas **los ojos se limpian y lubrican, y mejora la agudeza visual**. La carcajada hace vibrar la cabeza, y la nariz y el oído se despejan.

- **La risa eleva el umbral de tolerancia al dolor**. Cuando reímos, el cerebro hace que nuestro cuerpo segregue endorfinas; de hecho, una simple sonrisa emite una información que activa la segregación de esta "droga" natural que circula por el organismo.

Las endorfinas, específicamente las encefalinas, aunque no pueden curar el dolor tienen la facultad de aliviarlo. La capacidad de la risa para relajar la tensión muscular y sedar el estrés del sistema nervioso simpático también potencia el control del dolor. Por otro lado, una respiración más profunda y una mejor circulación sanguínea, que es lo que fomenta la risa, también minimizan el dolor. Por eso **cinco o seis minutos de risa continua actúan como un analgésico**.

- Quienes usan con regularidad la risa, el humor y el juego como estrategia de combate ante los acontecimientos poseen **una cantidad significativamente superior del anticuerpo inmunológico inmunoglobulina A, que es la primera defensa del cuerpo humano contra toda invasión infecciosa** que trata de penetrar en el organismo a través de las vías respiratorias. La risa hace descender el nivel de cortisol en la sangre e incrementa el número de linfocitos T citotóxicos naturales. Estos linfocitos son una especie de soldados especialistas utilizados por nuestro sistema inmunológico para atacar y destruir los virus y las células cancerígenas, lo que es muy importante en la prevención del cáncer. La forma en la que actúan es la siguiente: durante una situación de estrés las glándulas

Entre los efectos beneficiosos de la risa a nivel fisiológico se pueden contar los siguientes: relaja los músculos y las articulaciones, estimula los órganos internos, permite una mejor respiración, combate el insomnio, actúa como analgésico y refuerza el sistema inmunológico.

adrenales segregan corticosteroides, que al llegar a la corriente sanguínea son rápidamente convertidos en cortisol, y los elevados niveles de cortisol ejercen un efecto inmunosupresivo. Como la risa hace bajar rápidamente los niveles sanguíneos de cortisol, **permite con ello una actuación más eficiente de nuestro sistema inmunológico**. De ahí que la risa se utilice para terapias de convalecencia que requieren una movilización rápida del sistema inmunológico.

• Se sabe que el estrés provoca cambios fisiológicos adversos. Su conexión con la hipertensión, la contracción muscular, los trastornos intestinales y la supresión inmunológica fue demostrada hace muchos años. **La risa crea los efectos contrarios, convirtiéndose por ello en el antídoto perfecto para el estrés**.

☺ A nivel psicológico

La risa no solo influye en la inmunidad química y biológica sino también en la mental y emocional:

• Las endorfinas, además de desempeñar las funciones señaladas anteriormente, juegan un papel esencial en el equilibrio entre el tono vital y la depresión. De ellas depende algo tan sencillo como estar bien o estar mal. **Provocan un estado de euforia o bienestar general que proporciona un matiz placentero a la conciencia.**

- Ocasionalmente, la risa y la alegría pueden contribuir a dispersar las nubes del miedo, la preocupación, el enfado y la duda sobre uno mismo. **Como la risa interrumpe la actividad mental, divierte, relaja la atención, impide que la mente se entretenga en cuestiones perniciosas...**, y los movimientos corporales de la risa aceleran la circulación y respiración, y elevan la presión sanguínea.

- **Elimina la angustia, la tensión y la ansiedad**, aclara nuestra percepción y disminuye las preocupaciones y los miedos. Nos hace ser más receptivos y ver el lado positivo de las cosas. Genera satisfacción y bienestar, aumenta la autoestima, estimula la imaginación y potencia la creatividad. Además, como a través de la risa las personas exteriorizan emociones y sentimientos, a veces es percibida como una energía que urge ser liberada (sobre todo cuando necesitamos reír y la situación social nos lo permite).

Algunos libros hindúes hablan de meditación con risa porque el hecho de reír es una técnica de meditación en sí mismo, y es un medio para conocerse interiormente que ayuda a tener más consciencia del mundo. Por ejemplo, en la India, Bhagwn Rajneesh (Osho), en su centro de Poona, promovía la meditación de la "risa mística" que consiste en realizar tres horas diarias de risa durante nueve días.

En el budismo zen se enseñan técnicas para caminar sonriendo; aquí también se propone que en la práctica de la meditación el practicante mantenga durante ella lo que se conoce como "media sonrisa". Con ella se representa a Buda en todas las imágenes, ya que es un reflejo de la serenidad interior y nos mantiene vigilantes en el momento presente. También existe la creencia hindú que asegura que una hora de risa produce efectos más beneficiosos para el cuerpo que cuatro horas de yoga.

☺ A nivel social

También debemos hacer hincapié en los factores sociales de la risa, como son su carácter contagioso, la facilitación de situaciones socialmente incómodas y el poder comunicativo del humor.

En el budismo zen se recomienda mantener
durante la meditación una media sonrisa, como
la que muestra el rostro de Buda en casi todas
sus representaciones, ya que esta refleja
la serenidad interior y la vigilancia presente.

Reírse hace bien

- La risa es contagiosa. Cuando alguien empieza a reírse, los que están cerca comienzan a relajar los músculos de la cara y es casi seguro que todos acabarán riendo.

Hay un dicho que afirma que la risa es el camino más corto entre las personas. Si alguna vez te has reído con alguien recordarás cómo se produce una sensación de complicidad con la otra persona.

☺ PARA RECORDAR ☺

- Está claro que no podemos controlar los sucesos ni el mundo exterior, pero sí podemos controlar nuestra postura frente a ellos.

- Nuestra propuesta se basa en la observación, reflexión y acción. Por lo tanto creemos necesario que observes cuánto y cómo ríes en tu vida diaria...

- Es probable que recuerdes momentos y circunstancias concretas. Estos momentos son necesarios, pero es más importante detenerse en los momentos cotidanos. Repásalos como si escaneases la jornada, y pudieses dibujar una gráfica con los resultados que obtengas.

- Una vez lo hayas hecho, podrás preguntarte cómo has reaccionado: ¿has manifestado tu alegría de alguna forma? Las respuestas pueden revelar la clave de tu capacidad para reír y disfrutar.

- La risa es un elemento de comunicación; pero es necesario evaluar el uso que de ella hacemos. "Reír de..." suele encerrar una actitud individualista, mientras que "reír con..." ayuda a sentirnos más unidos.

- Reír es una actividad de lo más saludable, ya que afecta positivamente los tres componentes de la salud reconocidos por la OMS: el fisiológico, el psicológico y el social.

- A nivel fisiológico, la risa pone en acción los sistemas principales. Algunos de sus beneficios son:

  - Relajación de los músculos y las articulaciones.

  - Estimulación de los órganos internos (pulmones, corazón, estómago, etc.) por los espasmos del diafragma.

  - Ejercicio aeróbico que ventila los pulmones permitiendo una mayor oxigenación de la piel.

  - Aumento del anticuerpo inmunológico inmunoglobulina A, que es la primera defensa contra toda invasión infecciosa por las vías respiratorias.

- A nivel psicológico, mental y emocional, la risa produce los siguientes beneficios:

  - Disminuye el miedo, la preocupación, el enfado y la duda sobre uno mismo.

  - Divierte, relaja la atención, impide que la mente se entretenga en cuestiones perniciosas.

  - Elimina la angustia, la tensión y la ansiedad, aclara la percepción.

  - Estimula la imaginación y potencia la creatividad.

  - Permite liberar energía, exteriorizando emociones y sentimientos.

- A nivel social, la risa beneficia por su carácter contagioso, ya que facilita la superación de situaciones socialmente incómodas. Además, el poder comunicativo del humor se expresa en el dicho que afirma que la risa es el camino más corto entre las personas. Si alguna vez te has reído con alguien recordarás cómo se produce una sensación de complicidad con la otra persona.

¿LA RISA SE PUEDE APRENDER?

Desconfía de quienes nunca ríen.
No son personas serias.

Julio César

La risa comienza por una brusca toma de conciencia. Ante un acontecimiento incongruente, ridículo, divertido o absurdo, aparece súbitamente la carcajada. Esta atraviesa los neurotransmisores, recorre las neuronas en busca de una estructura de referencia donde situar la escena y, al no conseguirlo, se precipita hacia un área del cerebro conocida con el nombre de "hipotálamo". Esto desencadena una verdadera jauría de ondas y moléculas que chocan de frente contra las células nerviosas del diafragma, lo que provoca movimientos convulsivos. En ese mismo instante se liberan en el cerebro las endorfinas, responsables de una sensación de

¿La risa se puede aprender?
¿Qué podemos hacer cuando perdemos
las ganas de reír?
Cuando se pierde el hábito de la risa natural hay que
empezar a ejercitar la risa artificial y voluntaria.

bienestar. El cuerpo emocional, desembara-
zado momentáneamente de sus tensiones,
se libera y deja estallar su alegría de vivir. Es
su oportunidad para respirar, de la misma
forma que lo hacen los pulmones, si bien
estos encuentran difícil realizarlo debido a
las contracciones que recorren el abdomen.
Al cabo de un rato de tanto soportar los sal-
tos de júbilo, corren las lágrimas, los maxi-
lares se aflojan y los radicales libres, siem-
pre preparados para dañar nuestras células,
se resguardan en sus refugios. En la última
parte del recorrido de la carcajada, el cuer-
po mental resurge y volvemos a tomar con-
ciencia de nuestra condición, que habíamos
olvidado por unos segundos, en esa carca-
jada.

Lo que acabas de leer es una descripción del
proceso de la risa. Este proceso es bien conocido
por todos nosotros, al menos en lo que a haberlo
experimentado se refiere. En la mayoría de las ocasiones ocurre de forma natural y espontánea. Si
este es tu caso, ¡felicitaciones!, porque cada vez
hay más personas a las que les resulta difícil recordar cuándo fue la última vez que se rieron. Si les
preguntáramos la razón por la que les cuesta reír,
podríamos oír todo tipo de explicaciones: "no ha
surgido la ocasión", "no me ha ocurrido nada

gracioso", "no tengo tiempo para perderlo en este tipo de cosas", "cómo voy a tener ganas de reír con la cantidad de desgracias que hay en el mundo" y cosas por el estilo. Al margen de lo que pueda haber llevado a alguien a no reír frecuentemente, cuando esto ocurre debemos tomárnoslo como una señal de aviso de que algo en nosotros no funciona del todo bien.

De la misma forma que si no comemos durante unos días el hambre tiende a desaparecer, cuando no reímos las ganas de reír también tienden a desaparecer. Si siguiéramos sin comer llegaría un momento en el que el hambre volvería a aparecer, dado que es el mecanismo que el cuerpo utiliza para no morir de inanición (siempre y cuando no sea una enfermedad la responsable de la falta de ganas de comer). Con la risa también se produce una reacción en este sentido. El cuerpo usa sus mecanismos para avisarnos que necesita reír: mal humor, falta de motivación, tristeza, actitud pesimista, visión catastrófica, etc.

Ahora bien, habitualmente no hacemos caso a estas señales, o mejor dicho, sí lo hacemos pero les damos otra interpretación: "me siento así porque no me gusta mi trabajo", "si tuviera tanta suerte en la vida como mis hermanos sería feliz"... Posiblemente no reconocemos en estas señales una carencia de risa, sonrisas y buen humor porque no estamos acostumbrados a hacerlo, ya que nuestra cultura no fomenta este tipo de conductas y actitudes (reír, buen humor...) en la etapa adulta. Resulta paradójico, sin embargo, que sí se fomenten en la infancia; basta recordar el gozo que produce arrancarle la sonrisa a un niño.

Mientras que hoy en día nadie discute los beneficios de la alimentación, poca gente conoce los beneficios de la risa. Y haciendo un paralelismo, si tenemos claro que no toda alimentación nos lleva a la nutrición y por tanto ponemos los medios para aprender a comer, hacerlo de forma sana y que no quede en un simple acto de deglutir alimentos, igualmente sucede con la risa, pues no podemos quedarnos en la emisión del "ja, ja, ja" sino que debemos cuidar cuándo, cuánto, cómo y por qué lo hacemos.

Esperamos que con la lectura de este capítulo hayas comprendido lo beneficiosa que es la risa para nuestro funcionamiento a todos los niveles (biológico, psicológico y social). Es imprescindible y positivo reír con frecuencia, pero... ¿la risa se puede aprender?, ¿qué podemos hacer cuando hemos perdido las ganas de reír?

Un conocido refrán dice: "Si Mahoma no va la montaña, la montaña va a Mahoma". En este caso debemos hacer lo mismo. Por ello, te propo-

Cuando logres que la risa vuelva a ser un hábito notarás que más gente deseará tu compañía para sentirse felices, ya que la mayoría de las emociones son contagiosas.

nemos que, en lugar de esperar a que la risa aparezca, busques y hagas lo que esté en tu mano para que surja en ti la carcajada. Así, cuando se pierde el hábito de una risa natural hay que aprender a ejercitarse en la risa artificial y voluntaria. Esto se consigue practicando, entre otras cosas, ejercicios de expresión corporal que generan reacciones físicas similares a las de la risa natural.

No consiste literalmente en aprender el acto de reír, en el sentido de aprender cómo poner la boca, qué sonidos hay que emitir, etc., pues eso ya lo sabemos, –lo hemos hecho alguna vez–, sino que se trata de que la risa aparezca y que lo haga cada vez con más frecuencia, de modo que finalmente se convierta en un hábito y surja de forma espontánea. Cuando esto ocurre, además de sentirte mejor conseguirás que la gente desee tu compañía y te busque porque se sentirá bien a tu lado.

Ya lo sabes: Si quieres ser feliz da felicidad y si quieres reír, haz reír. La mayoría de las emociones son muy contagiosas. Por ello, si haces un esfuerzo para irradiar felicidad y risa, tú también recibirás estos obsequios de los demás.

¿CÓMO REÍR?

La risa es como una galleta, de nada sirve si no se tiene dentro.

Baldomero Lopitez

Cuando el sentido del humor y la facilidad para reír están afectados, no suelen desarrollarse de forma espontánea; al contrario, se necesita una cierta dedicación y un entrenamiento adecuado.

Tal y como se ha ido explicando a lo largo del libro, la risa no es un elemento aislado dentro de nuestro funcionamiento sino que está relacionado con múltiples factores. Por un lado está el hecho físico como tal, que llamamos "gesto" de la risa, y por otro, una actitud y forma de estar en el mundo. Estos dos ejes son los que vamos a utilizar para organizar el aprendizaje. En un primer apartado proponemos una serie de ejercicios que, si se practican con suficiente intensidad y regularidad, favorecen la aparición de la risa natural; mientras que en el siguiente nos centraremos en la integración de la risa en un ámbito más amplio.

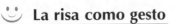 **La risa como gesto**

La sonrisa es el yoga de la boca.

Thich Nhat Hahn

La "gimnasia" de la risa tiene un efecto inductor en los mecanismos físicos, y en los resortes del cuerpo que activan los procesos hormonales y desarrollan finalmente los efectos terapéuticos de la risa. Hay diversos elementos implicados que forman parte de la propuesta de entrenamiento y que se explicarán uno por uno: respiración, abdomen, gesto y sonido.

Un elemento fundamental en la risa, y en definitiva en cualquier actividad que realicemos, es la **respiración.** Mientras que la respiración "triste" tiende a ser superficial, esporádica y estresante, provocando tensión y ansiedad; la respiración "alegre" es completa, fluida y regular, y crea una perfecta armonía entre la entrada de energía en la inspiración y la liberación de tensión en la espiración. La risa fomenta la respiración alegre. Por ello, un paso previo al entrenamiento consiste en tomar conciencia de la respiración. Veamos un ejercicio que te permitirá desarrollar una respiración de tipo "alegre". Para ello busca

*Un elemento fundamental en el entrenamiento
de la risa es la respiración. La respiración "alegre",
opuesta a la "triste", es completa, fluida y regular.*

(Reírse hace bien)

una postura en la que estés cómodo y sigue las siguientes instrucciones:

- Concéntrate en tu respiración, en su ritmo, en cómo se produce. Poco a poco prolonga la inspiración y la espiración hasta conseguir que la respiración fluya de manera continuada. Esto quiere decir que los cuatro tiempos de la respiración (inspiración, retención, espiración y vacío) se deben producir uno detrás de otro, sin pausas ni interrupciones. El aire debe entrar por la nariz y salir por la boca. Transcurridos unos minutos, incluye un elemento nuevo en el proceso: cuando inspires visualiza el aire entrando por la nariz y llegando a los pulmones, y cuando espires intenta ver en tu mente la imagen del aire saliendo (pulmones, laringe, faringe y boca). Una vez que lo hagas sin problemas puedes mejorar el ejercicio del siguiente modo: dibuja una sonrisa en tus labios al final de cada espiración.

Si al hacer esta tarea tu mente se distrae con otra cosa debes canalizar tu atención de nuevo hacia la respiración. Si te cuesta centrarte en la respiración acompáñate de explicaciones mentales de lo que estás haciendo. Por ejemplo, al tomar aire di mentalmente: "Estoy tomando el aire por los pulmones…, intento verlo en mi mente…, el aire entra por la nariz, la faringe, laringe…, ya está en los pulmones… aquí lo retengo unos segundos…, etc.".

Existe un tipo de meditación llamada Vipassana que utiliza imágenes y sensaciones a modo de objetos de meditación. Uno de estos objetos puede ser la sonrisa y la actitud de contentamiento que esta conlleva. Podemos realizar el ejercicio arriba descrito visualizando que este aire que respiramos es un elemento de purificación que al entrar en nuestro cuerpo y en nuestra mente nos limpia y deshace los nudos mentales. Al liberarse dichas tensiones se afloja nuestro rostro y esto nos permite mostrar una pequeña sonrisa con cada espiración. A medida que vamos respirando, esta limpieza es más profunda y la tensión es cada vez menor, por lo que la sonrisa es cada vez más amplia y mantenida. Con la meditación dejamos que las nubes mentales que pueden estar representadas por los problemas y tensiones que nos afectan, pasen de largo mientras nuestra visión está depositada en el cielo azul que es el momento presente.

Cuando hagas este ejercicio de forma fluida (no tardarás mucho en conseguirlo), ya puedes empezar con el entrenamiento propiamente dicho. Es importante que cada vez que vayas a hacer una sesión de ejercicios la inicies con cinco minutos de "respiración alegre".

El siguiente paso es entrenar la **"risa abdominal"**. Cuando hemos analizado el proceso de la risa, al principio del capítulo, hemos comprobado el importante papel que desempeña el abdomen. Para ello te proponemos dos ejercicios (cada uno tiene otro alternativo, lo que te permite hacer tus sesiones de entrenamiento más variadas). Deberás practicar cada uno durante cinco minutos.

Para realizar el primer ejercicio:

• Comienza poniéndote en cuclillas y abrazándote las rodillas mientras chillas entre lamentos que finjan pesar o dolor, como si estuvieras quejándote. Tras unos segundos de esa forma, estírate progresivamente al máximo hasta formar un aspa con los brazos y las piernas acompañándolo de una carcajada cuando estés completamente estirado.

Un ejercicio alternativo sería el siguiente: estando de pie con la cabeza hacia abajo (intenta tocar el pecho con la barbilla), levanta los brazos, cerrando primero los puños sobre el regazo, elevando los codos hacia fuera y abriendo posteriormente los antebrazos, cuando las manos

Con la meditación podemos despejarnos de los problemas, concentrándonos solamente en la sensación placentera de purificar nuestro cuerpo, siempre con una sonrisa en el rostro.

(Reírse hace bien)

se encuentran a la altura de la barbilla. A partir de este punto echa la cabeza hacia atrás y estírate con el mayor gozo posible, bostezando y emitiendo ruidos guturales de esos que llaman la atención (es un movimiento típico cuando nos desperezamos). Sintiendo el impulso del vientre, haz que la risa te estire en aspa y te obligue a estallar en carcajadas.

Para realizar el segundo ejercicio:

• Estando de pie, empuja el ombligo hacia delante todo lo que puedas sin perder el equilibrio. Coloca las manos abiertas con las palmas hacia abajo, con los pulgares y los índices alrededor del ombligo. Estira la mandíbula inferior dejando la boca abierta, y en esta posición imita el característico alarido de Papá Noel. Mantén las rodillas ligeramente flexionadas y en dinámica de balanceo (este se produce por movimientos consecutivos y rápidos, elevando y apoyando los talones). Si practicas este ejercicio con asiduidad fortalecerás además los abdominales y los glúteos.

Una alternativa al ejercicio anterior es la siguiente: Sentado, sitúa las manos como en el ejercicio anterior pero metiendo el ombligo hacia dentro, como si lo empujaras bajo las costillas flotantes. En esta posición, recupera el balanceo de antes, con una risa con la letra "i", mientras tensas todos los músculos del cuello, estirando la boca en un intento de tocar los lóbulos de las orejas con la comisura de los labios.

Aprovechando los ejercicios que ya conoces, antes de continuar con el entrenamiento queremos parar y hacer una reflexión que puede serte de utilidad: se trata de hacer los ejercicios de la "risa abdominal" de diversas formas, con diferentes grados de expresión corporal. Para ello has de practicarlos de la forma que te proponemos, debiendo estar muy atento a las sensaciones que experimentas y comparando las distintas formas de proceder. Te proponemos lo siguiente:

- Elige uno de los ejercicios anteriores. En el mayor estado de relajación posible, en una silla, sobre la alfombra o en la cama, imagínate haciéndolo. Realízalo sin mover ni un solo músculo y observa con atención las sensaciones emocionales que se produzcan. Después, manteniendo la misma postura, repite imaginariamente la secuencia pero apretando los puños y tensando ligeramente los brazos en los momentos en los que tendrías que estar moviéndote, presionando o estirando el cuerpo. Una vez hecho esto, observa de nuevo qué ocurre con tus emociones: ¿Sientes ganas de sonreír?, ¿mejora tu estado de ánimo?, ¿estás más pletórico? Sin dejar de observar las sensaciones que te surgen, y contrastando unas con otras, repite a continuación el ejercicio tal y como se describió al principio, usando el cuerpo entero, pero de forma suave. Por último, realiza la serie completa pero enfatizando, exagerando y apretando los músculos del cuerpo. ¿Notas el cambio?

Debes practicar esta secuencia hasta que la diferencia entre cada una de las fases sea clara. De esta forma puedes observar que pensar en reír no produce la misma sensación que hacer un amago de movimiento al igual que esto no tiene el mismo efecto que llevar a cabo el movimiento. Puedes observar que esto mismo ocurre en otras situaciones, por ejemplo en una persona que está viendo un partido de fútbol: la forma en la que la emoción aparece y se siente no es igual cuando su equipo marca un gol y se imagina celebrándolo, cuando solamente mueve los puños en un conato de celebrarlo o cuando mueve los brazos hacia arriba y da saltos de alegría.

Después de esta reflexión sobre la importancia del gesto, de materializar la expresión, avance-

Luego de practicar el gesto de la risa imagínate empleándolo en diversas situaciones (en el trabajo, a la salida del ascensor, etc.). Finalmente, trasládalo a la realidad.

mos en el entrenamiento. Empezamos con la respiración, después trabajamos el abdomen y ahora le toca el turno a la **expresión facial**. La cara es la que más claramente expresa que nos estamos riendo. Por ello, el siguiente paso es entrenar el movimiento de la cara de la siguiente forma:

- Eleva las cejas, estira las comisuras de los labios sin abrir la boca (como una mueca de risa en la que la línea de la boca se extiende de una oreja a otra), levanta los hombros y entorna ligeramente los ojos. Tras permanecer en esta posición durante un minuto, recupera la posición inicial y permanece así durante un minuto, transcurrido el cual hay que repetir la mueca. A partir de aquí realiza estas alternancias mueca-no mueca durante diez minutos.

Cuando lo hayas practicado en varias sesiones, debes trabajar para que aparezca en numerosas ocasiones. Para ello prueba primero imaginarte la mueca en distintos momentos del día, en distintas actividades. Por ejemplo, imagina que sales del ascensor, te cruzas con alguien y le dices "hola" con una amplia sonrisa en tus labios. El siguiente paso es que lo lleves a la práctica. Esto facilitará que la sonrisa te surja de espontáneamente.

Como ya hemos dicho anteriormente, quien da recibe y quien recibe da, así que te proponemos el siguiente ejercicio:

- Haz una lista de causas merecedoras de una sonrisa. Por ejemplo, tu familia, plantas, el coche... Intenta hacer una lista larga y comprueba a cuántas de esas cosas, personas o situaciones sonríes habitualmente. Por otro lado, escribe cualquier cosa que consideres que puede arrancarle a alguien una sonrisa (un "hola", "gracias", un ramo de flores...) y piensa cuántas veces haces esos "regalos". A partir de esa lista proponte sonreír y provocar sonrisas más a menudo. Amplía tu lista.

El siguiente paso del entrenamiento se centra en la **emisión del sonido**. En primer lugar vamos a trabajar la modulación del paso del aire por la garganta mediante un sonido. Para ello empieza con la siguiente actividad:

- Imita el gruñido de un ogro o los aullidos de un lobo, como si pretendieras asustar a alguien. Ve tanteando con diversas formas de respiración y posición de la garganta.

Cuando te salga de forma fluida, practica durante cinco minutos.

Es tiempo suficiente para sentar las bases para practicar con las "vocales de la risa":

- En una posición relajada, sentado o de pie, debes reírte con cada una de las vocales precedida de una "j" (ja, je, ji, jo y ju). Empezarás con "ja, ja, ja…" durante varios minutos, después con "je" y así con las cinco sílabas.

Cada vocal produce una vibración en una parte del cuerpo, lo cual favorece el funcionamiento de determinadas partes del mismo. Veamos los beneficios de cada una de las vocales:

1. La risa con la "a" es una risa abierta que invita a estirarse, a expandir el pecho. Cuando se acompaña con la "j", como "ja, ja, ja…" tiende a vibrar más por la zona de las caderas y los riñones, por lo que activa sus funciones. Como en esta zona están situadas las glándulas suprarrenales también actúa sobre la adrenalina, que es lo que nos ayuda a responder ante el miedo. De igual modo masajea el vientre. En las mujeres además resulta beneficiosa para los ovarios y el útero.

2. La risa con la "e" resulta más diplomática. Cuando se combina con la "j" produce una vibración por el vientre y bajo las costillas,

Aprender a utilizar las "vocales de la risa"
nos permitirá estimular diversas partes de nuestro
organismo. La risa con "i", por ejemplo, estimula
la zona del corazón, por lo que es beneficiosa
para la circulación.

Reírse hace bien

por lo que ayuda en las funciones del hígado y la vesícula biliar.

3.   La risa con la "i" tiende a resultar más incisiva y cantarina. El "ji, ji, ji..." vibra por la zona del corazón, por lo que es beneficioso para la circulación de la sangre, así como para el sistema nervioso y la tiroides (por ser esta la glándula que regula el metabolismo, también puede ayudar con problemas de obesidad). Por otra parte, la mejoría que produce en el sistema circulatorio la convierte en adecuada para tratar várices.

4.   La risa con "o" induce vibraciones por la zona del cráneo y el aparato digestivo. En esta forma es adecuada para ayudar en los procesos digestivos así como en el tratamiento de la celulitis.

5.   La "u" produce vibraciones que actúan sobre los pulmones, regulando alteraciones respiratorias. También facilita la limpieza del intestino grueso cuando se tensa por estrés o miedo.

La tarea no consiste únicamente en emitir el sonido sino que mientras lo haces debes estar centrado en la parte del cuerpo que en cada momento está vibrando. Por ejemplo, si te ríes con "je, je, je...", concentra tu atención en la zona del vientre. Imagina tu hígado moviéndose al ritmo de la risa. Al principio te resultará artificial, pero verás cómo poco a poco te costará cada vez menos y la risa fluirá de forma natural.

Una vez que sepas reírte con cada vocal (recuerda que es muy importante tomar conciencia de las partes de tu cuerpo que vibran para potenciar los beneficios de la risa), ya estás preparado para aplicarlas en tu vida diaria. De la misma forma que en el ejercicio de la expresión de la cara debías expresar la sonrisa en distintas situaciones y actividades, te pedimos que hagas lo mismo con la emisión sonora de la risa. Puedes empezar por las mañanas:

- Cada mañana, al levantarte, siéntate cómodamente con la espalda recta pero sin rigidez (para poder respirar bien, modular la voz, no presionar el diafragma y proyectar bien tu voz), delante de un espejo, y dedícate a reír sin ningún motivo especial durante un par de minutos.

Con esto conseguirás una expresión de pura jovialidad que te preparará para vivir una jornada de alegría. Un complemento que puedes utilizar al hacerlo es visualizar, mientras te ríes, eventos que te desagradan como pueden ser el jefe, los autobuses que llegan tarde, el madrugón de cada mañana… esto te ayudará a no magnificar los hechos y a aprender que independientemente de lo que nos rodea, disponemos de los recursos para controlar nuestra forma de afrontarlo y el que no nos afecten negativamente y de forma desmesurada. Pero… ¡que no quede la cosa ahí!

- Al menos una vez al día, sitúate frente al espejo y cambia la expresión de tu rostro. Haz muecas. Sonríe. Incluso en esos días que todos tenemos de vez en cuando en los que no nos apetece ni esbozar un atisbo de sonrisa, no dejes de hacer este ejercicio. El simple esfuerzo de sonreír ante el espejo produce cambios muy favorables en tus hormonas y neurotransmisores. ¿Quién sabe? Quizás después tu día no sea ya tan malo como esperabas. Nuestra mente tiene más ojos que cualquier película de terror.

A estas alturas del capítulo ya cuentas con un entrenamiento básico que te permitirá recuperar el gesto de la risa y que poco a poco, con la práctica y con la intención, fluya en ti de forma espontánea.

A continuación te presentamos los ejercicios que debes practicar cada día.

*Intenta amanecer con una sonrisa, incluso
en esos días en que no tienes ganas de sonreír.
Tal vez descubras que el día no era tan malo
como esperabas después de todo.*

- Respiración "alegre" (5 minutos)

- Risa abdominal (5 minutos cada ejercicio)

- Sonrisa facial (10 minutos)

- Gruñido (5 minutos)

- Vocales de la risa (15 minutos)

Debemos advertir que, como en la mayoría de las cosas en esta vida, hay una serie de contraindicaciones que conviene conocer. Con las carcajadas todo el cuerpo se mueve de tal forma que puede afectar de manera negativa en pacientes con problemas cardíacos o en aquellos que hayan sido operados recientemente, debido al riesgo de romper los puntos de sutura o porque los espasmos pueden resultar dolorosos. También son desaconsejables en personas con incontinencia urinaria. Todo esto no debería ser motivo para no reír, pero sí se debe hacer con precaución. En el caso de que la carcajada te ocasione dolor o molestia, demora esta parte del entrenamiento para otro momento y céntrate directamente en la parte que viene a continuación: la risa como actitud.

☺ La risa como actitud

Mucha gente cree que para triunfar en la vida basta con levantarse temprano. Pero no, también es necesario levantarse de buen humor.

Marcel Achard

Es preciso mantener una actitud general en la que el humor, o la risa, no sean momentos excepcionales sino una forma de ser y de estar. Al igual que dedicamos gran parte de nuestra vida a respirar, comer, dormir, trabajar, descansar…, debemos incluir la risa con la misma intensidad y de forma cotidiana.

Cuando nacemos, la risa está integrada en nuestro funcionamiento, hay tiempo para comer, reír, compartir; sin embargo, el miedo, la frustración, el enfado, las preocupaciones, las obligaciones, el cansancio… nos van invadiendo según vamos creciendo y ponen en peligro la risa, y todo lo que la acompaña (buen humor, optimismo), haciendo que se vean eclipsados e incluso olvidados. Por ello, a continuación vamos a presentar una serie de propuestas que pueden favorecer la integración de la risa en tu vida diaria, en el desarrollo de la risa como una actitud.

• ¡Sé observador!

La vida está llena de risa pero muchas veces no nos damos cuenta de ello. Para encontrar lo que se busca hay que ser cuidadoso en la búsqueda y ponerle intención. Si al llegar al trabajo alguien te preguntara cómo son los adoquines de la acera de tu casa, ¿qué responderías? Posiblemente no lo sepas. La razón por la que no eres capaz de recordarlo es porque no ibas predispuesto a fijarte en ellos y han pasado desapercibidos, pero no dejan de existir porque tú no te hayas fijado en ellos. En este caso aplicamos el mismo principio. Las cosas alegres y que hacen que te rías y te sientas bien están ahí pero no solemos prestarles atención. Debemos observar lo que de alegre, gozoso y encantador hay en nuestra vida y ello es más fácil si lo vamos buscando.

Te proponemos que a partir de hoy anotes los momentos felices de cada día, tales como bromas, celebraciones, refranes ingeniosos, anécdotas humorísticas, entretenimientos, emociones, sucesos, conversaciones... No es necesario que tú seas el protagonista directo, también vale si son otras personas o cosas, pero eso no impide que tú lo puedas ver y te resulte simpático o agradable. Todo este material te servirá de avituallamiento a lo largo de tu camino. En poco

Aprende a vivir sintiendo y no solamente razonando.
Prueba salir a la calle y disfrutar de cosas simples
como la lluvia, el aroma de las flores,
el sabor de una comida...

Reírse hace bien

tiempo verás más el vaso lleno que el vaso vacío, el día a día se convertirá en una aventura agradable y no en una batalla a la espera de un nuevo amanecer.

• **Aprende a vivir sintiendo y no sólo razonando.**

Tan importante es observar, para descubrir y encontrar, como ser capaz de contemplar lo que te rodea sin pensar en ello, sin darle vueltas al "coco", simplemente dejándote disfrutar. Prueba salir a la calle y recrearte con cosas tan sencillas como el roce del aire, el olor de la lluvia, el color de las plantas, el sabor de una comida, la textura del suelo que pisas…

• **No te dejes atrapar por la rutina.**

Cada día es un nuevo día que nunca ha ocurrido antes. Si vives de esta forma estarás concediéndote la oportunidad de dejarte sorprender por la vida. Esto te permitirá marcar tus metas y vivir con entusiasmo. Pregúntate: "¿Qué puedo buscar, escuchar, en qué puedo pensar y qué puedo hacer hoy que no haya buscado, escuchado, pensado y hecho antes?". Formúlate estas preguntas cada día. De esta forma te mantendrás fresco, abierto y agradecido. También te puede ayudar examinar cada aspecto de tu vida, ser más concreto, y preguntarte qué puedes hacer en este momento para ser feliz en un aspecto determinado.

- **No todo en la vida es seriedad.**

Nuestra imaginación nos abre las puertas a un mundo de infinitas posibilidades. Para vivir con creatividad y plenitud hay que estar preparado para entretenerse de vez en cuando con lo nimio, ridículo o banal. ¿Recuerdas cuándo fue la última vez que hiciste algo excéntrico, no planificado? A partir de ahora debes hacer de vez en cuando (una vez a la semana está bien) algo singular: ponle al teléfono móvil una música divertida y excéntrica, programa un fin de semana en un parque de atracciones, graba un mensaje fuera de lo común en el contestador del teléfono, viste de forma atrevida o haz cualquier otra cosa que se te ocurra.

- **¡Regálate una hora para ser feliz!**

Resérvate una hora al día. Alimenta día a día tu sentido de la diversión y del disfrute. Mantente fiel a tus intereses, aficiones, pasatiempos… De la misma forma que planificas los trabajos que debes hacer, no olvides concederte una hora de alegría reservada a realizar lo que más te guste. Cuando hayas conseguido reservarte una hora feliz… ¿por qué no avanzas y te obsequias con todo un día? ¡El próximo domingo podría ser un gran día! No desaproveches la ocasión de asistir a espectáculos de humor. Además, recuerda que existen juegos, juguetes, videos, libros... que provocan risa.

• **Es mejor bien acompañado que solo.**

Procura la compañía de quienes poseen ese talento especial que les permite ver siempre el lado humorístico de las cosas y presentarlo de forma que estimule la risa. Además, no escondas tu alegría sólo para ti: expándela a tu alrededor y conseguirás contagiar a los demás.

• **Aprovecha la ocasión para crear una biblioteca humorística.**

Recopila libros de chistes, cómics, frases ingeniosas y de humor, videos de comedias y de tus humoristas preferidos, juegos de mesa divertidos, juguetes, obras de teatro y novelas de humor... Podrás echar mano de cualquiera de los materiales, tanto solo como en compañía, para recrear y propiciar un momento de diversión.

•**Revisita la infancia.**

Rememora momentos felices de tu infancia. ¿Cuáles son los recuerdos más intensos y gozosos de tu infancia?, ¿cuáles fueron los momentos más felices? De vez en cuando es bueno revisar la

*Regálate una hora para ser feliz. Tal como planeas
tus tiempos de trabajo, planea un tiempo en
el día para dedicarle a la diversión: realiza
alguna actividad que te guste o simplemente
asiste a espectáculos humorísticos o mira
programas cómicos en la televisión.*

infancia y compartir recuerdos. A menudo los adultos guardan la infancia con demasiada rapidez en el archivo del olvido y parece que nuestra realidad actual es algo que nos acompaña desde siempre. Los buenos recuerdos, además de producirnos satisfacción en el momento en que los rememoramos, nos permiten comprender cómo a lo largo de nuestra vida hemos ido creando buenos momentos que merecen la pena ser recordados y, si es posible, reproducidos de nuevo. Si antes nos permitíamos disfrutar y tener momentos felices ahora también deberíamos poder hacerlo.

Estos puntos que acabamos de presentar no dejan de ser una serie de pautas que pueden ser útiles para que poco a poco te invada un estado de bienestar y alegría (lo que no significa que los problemas desaparezcan). Tomar conciencia de lo que aquí contamos es un primer paso, pero necesita ser llevado a la práctica. Lo importante es abrirse a una forma diferente de ver la vida y estar en ella. No hay que esperar a ser feliz para reír. Empieza ya y podrás comprobar sus buenos resultados. Como ya hicimos en el apartado anterior, aquí tienes un resumen de estos aspectos:

- Observa los momentos y situaciones divertidas que te rodean.

- Disfruta de la vida.

- No te dejes atrapar por la rutina.

- Da rienda suelta a tu imaginación.

- Regálate una hora al día para ser feliz.

- Comparte tu alegría con los demás.

- Crea una biblioteca humorística.

- Rememora tu infancia.

¿DESDE DÓNDE TE RÍES?

La risa es la distancia más corta entre dos personas.

Víctor Borge

Como ya hemos expuesto anteriormente, nuestra propuesta de aprendizaje tiene una base importante en la aplicación individual. Por ello, creemos necesario continuar con esa autoexploración que permita conocernos mejor para poder conocer más.

Una vez que hemos ofrecido un marco teórico acompañado de propuestas prácticas a fin de analizar y entrenar la risa como un gesto y la risa como una actitud, consideramos importante que antes de hacer cualquier ejercicio te pares a analizar **cómo te ríes.** Quizás es una propuesta que puede resultar compleja pues cuando alguien se ríe no se le pasa por la cabeza ir a mirarse al espejo para ver qué cara pone en ese momento. Cualquier resquicio de espontaneidad desaparecería en dos segundos, pero es cuestión de articular los medios que te permitan ese análisis. Desde aquí te hacemos dos propuestas, convencidos de que no son las únicas y de que tus recursos e imaginación completarán este ejercicio.

Puesto que estamos inmersos en la era de las nuevas tecnologías, y son variados los medios audiovisuales que tenemos a nuestro alcance, seguramente tendrás en casa o encontrarás en la de algún familiar o amigo, material gráfico en el que aparezcas: video, fotografía, audio... Busca en todos los que salgas y recoge aquellos en los que estés riéndote o en actitud alegre. Mira y/o escucha esos documentos. Intenta distanciarte de ese reconocimiento que enseguida sientes. Mira el gesto o los gestos, escucha los sonidos, intenta ver qué hay detrás de esas expresiones. ¿Se ve gozo?, ¿se percibe adaptación al momento o circunstancia?, ¿se observa sinceridad en el gesto?,

Para poder analizar tu forma de reír de
la manera más objetiva posible busca
los documentos (videos, audios, fotos, etc.) en
los que aparezcas riéndote o en actitud divertida.

Reírse hace bien

¿hay aislamiento en los gestos o, por el contrario, se ve conexión de la expresión con el entorno? Pregúntate, disecciona, ausculta esas imágenes y sonidos, pero intenta por todos los medios no reconocerte en ellas. Mantén la distancia y observa como si vieras a un extraño, solo así podrás minimizar los filtros mentales.

Otra posibilidad, aunque bastante distinta pues la información que recibirás no viene de un medio objetivo, es jugar con alguien de confianza al juego de las imitaciones. De pequeños hemos jugado mucho a imitar películas u objetos que había que reconocer e identificar. Utilizando la misma base de este juego, el ejercicio consiste en que una o varias personas de tu confianza, con las que hayas compartido bastantes y variados momentos de forma que su subjetividad te pueda resultar medianamente objetiva, hagan una o varias imitaciones de tu risa, intentando mostrar el sonido, los gestos faciales y los corporales si los hubiera. Tú puedes hacer lo mismo con ellos de manera que te sirva para trabajar la observación, la empatía e incluso la expresión e interpretación. Este ejercicio es interesante porque no solo te puede servir de confrontación en la que verte reflejado sino que también te puede proporcionar información de cómo te ven los demás.

Independientemente del medio que utilices para visualizar tu risa, intenta no justificarla con las circunstancias del momento vivido con excusas como: "Es que aquí estaba muy contento porque era un momento excepcional…" o cosas por el estilo. Intenta recortar al personaje que ríe y sacarlo del escenario. Analizamos el personaje, no la obra; queremos saber si es capaz de meterse en su papel de *homo sapiens ridens* o humano que sabe reír.

PARA RECORDAR ☺

- Es imprescindible reír con frecuencia, pero... ¿qué podemos hacer cuando hemos perdido las ganas de reír?

- En lugar de esperar a que la risa aparezca, búscala y haz lo necesario para que surja en ti la carcajada.

- La risa artificial no consiste literalmente en aprender el acto de reír. Se trata de que la risa aparezca cada vez con más frecuencia hasta convertirse en algo espontáneo.

- Un elemento fundamental en la risa es la **respiración.** Por ello, un paso previo al entrenamiento consiste en tomar conciencia de ella:

  - la respiración "triste" tiende a ser superficial, esporádica y estresante.

  - la respiración "alegre" es completa, fluida y regular, y crea una perfecta armonía entre la entrada de energía en la inspiración y la liberación de tensión en la espiración.

- Cada vez que vayas a hacer una sesión de los ejercicios que te proponemos, "precalienta" con cinco minutos de "respiración alegre".

- El primer ejercicio es la **"risa abdominal"**. Existen dos ejercicios:

  - Ponte en cuclillas y abrázate las rodillas mientras chillas entre lamentos que finjan pesar o dolor, como si estuvieras quejándote. Luego, estírate progresivamente hasta formar un aspa con los brazos y las piernas y lanza una carcajada cuando estés completamente estirado.

  - De pie, empuja el ombligo hacia delante todo lo que puedas. Coloca las manos abiertas con las palmas hacia abajo, con los pulgares y los índices alrededor del ombligo. Estira la mandíbula inferior dejando la boca abierta, y en esta posición imita el característico alarido de Papá Noel.

- Ahora le toca el turno a la **expresión facial**. La cara es la parte de nuestro cuerpo que más claramente expresa que nos estamos riendo. Para entrenar el movimiento de la cara realiza el siguiente ejercicio:

  - Eleva las cejas, estira las comisuras de los labios sin abrir la boca, levanta los hombros y entorna ligeramente los ojos. Tras un minuto vuelve a la posición normal. Practica la alternancia mueca-no mueca durante diez minutos.

- El siguiente paso del entrenamiento se centra en la **emisión del sonido**. Primero debes practicar la modulación del paso del aire por la garganta:

  - Imita gruñidos de ogro o de lobo, modula el sonido de diferentes formas.

- Cuando te salga de forma fluida, practica durante cinco minutos. Es tiempo suficiente para sentar las bases para practicar con las "vocales de la risa".

- Cada vocal produce una vibración en una parte del cuerpo, lo cual favorece el funcionamiento de determinadas partes del mismo. Veamos los beneficios de cada una de las vocales:

  - la "a" tiende a vibrar más por la zona de las caderas y los riñones, por lo que activa sus funciones.

  - la "e" produce una vibración por el vientre y bajo las costillas, por lo que ayuda en las funciones del hígado y la vesícula biliar.

  - la "i" vibra por la zona del corazón, por lo que es beneficiosa para la circulación de la sangre.

  - la "o" induce vibraciones por la zona del cráneo y el aparato digestivo.

- la "u" produce vibraciones que actúan sobre los pulmones, regulando alteraciones respiratorias. También facilita la limpieza del intestino grueso cuando se tensa por estrés o miedo.

- Recuerda, no se trata solo de lograr el sonido, también debes estar atento a la parte de tu cuerpo que está en actividad. Una vez que sepas reírte con cada vocal estarás preparado para aplicarlas en tu vida diaria.

- Desarrolla una actitud en que la risa sea una forma de ser y de estar en el mundo. Las siguientes propuestas pueden ayudarte a lograrlo:

  - ¡Sé observador!

  - Aprende a vivir sintiendo y no sólo razonando.

  - No te dejes atrapar por la rutina.

  - ¡Regálate una hora para ser feliz!

  - Busca la compañía de quienes ven siempre el lado humorístico de las cosas.

  - Crea una biblioteca humorística.

  - Revisita la infancia.

- Estos puntos son apenas unas pautas, lo importante es abrirse a una forma diferente de ver la vida y estar en ella.

- Antes de hacer cualquier ejercicio es importante que analices cómo te ríes.

- Desde aquí te hacemos dos propuestas:

  - Busca documentos (fotos, videos, audios, etc.) en los que salgas riéndote o en actitud alegre. Analízalos, procurando alejarte del reconocimiento instantáneo que sientes.

  - Otra posibilidad es jugar con alguien de confianza al juego de las imitaciones. Este ejercicio puede servirte no solo de confrontación con tu forma de reír sino también como medio para saber cómo te ven los demás.

RISOTERAPIA

Si ayudas a alguien a reír,
lo estás ayudando a vivir.

Robert Holden

E l humor terapéutico, o lo que podría llamarse "risoterapia", es un concepto relativamente nuevo que se fundamenta en la idea de que reír, o simplemente gozar de un buen sentido del humor, es bueno para la salud.

Diferentes corrientes filosóficas conocen, desde hace siglos, la importancia de la risa y del sentido del humor, y lo promueven de manera práctica. Por ejemplo, hace más de cuatro mil años había en China unos templos donde las personas se reunían para reír con el objetivo de equilibrar la salud; de la misma forma que hoy en día existen en la India, templos sagrados donde se puede practicar la risa.

La risoterapia, aunque como concepto es reciente, viene empleándose desde antiguo. En China, hace más de cuatro mil años, existían templos en los que las personas se juntaban para reír con el objetivo de equilibrar la salud.

Aunque el humor ha sido estudiado por personajes tan relevantes como el premio Nobel de Literatura Henry Bergson o el neurólogo Sigmund Freud (quien atribuyó a las carcajadas el poder de liberar al organismo de energía negativa), fue Norman Cousins quien en 1979 llamó por primera vez la atención de la comunidad científica internacional sobre sus extraordinarias posibilidades terapéuticas.

Cousins, editor de un semanario norteamericano, se enfrentó a un diagnóstico de espondilitis anquilosante, –una forma de artritis dolorosa y potencialmente limitante–, con una combinación de tratamientos convencionales y grandes dosis de humor. Partiendo de la base de que las emociones negativas, tales como la ira o la ansiedad, pueden estimular el ritmo cardíaco y elevar la presión de la sangre hasta un nivel letal, afectando negativamente la salud humana, Cousins pensó que lo contrario debía de ser cierto: que las emociones positivas, tales como la felicidad y el amor, tendrían un efecto positivo.

Norman se negó a aceptar el triste pronóstico de su enfermedad y decidió hacerse cargo de su propio tratamiento. Estaba dotado de un poderoso deseo de vivir y se resolvió a potenciarlo utilizando la alegría. Consiguió películas de los hermanos

Marx y otras de humor. Observó que la risa era un poderoso analgésico: diez minutos de risa le permitían un sueño reparador y sin dolor durante dos horas. Aunque los médicos le habían dado pocas esperanzas de mejoría, a los ocho días su dolor empezó a remitir y finalmente volvió al trabajo.

Para Cousins es fundamental que toda persona acepte una cierta responsabilidad dentro del proceso de su propia recuperación de una enfermedad o una incapacidad, ya que la base de todo está en saber cómo emplear las propias capacidades del paciente.

Aquel ejemplo le sirvió a muchos centros hospitalarios, que empezaron a reservar salas destinadas al disfrute de los pacientes. Por ejemplo, el doctor Patch Adams, del que se ha hecho una película, era un convencido del potencial del humor en la curación de las enfermedades e hizo del humor y la risa aliados en la cabecera de sus enfermos.

La investigación médica ha demostrado que el pánico, la depresión, el odio, la frustración y el miedo pueden ejercer efectos negativos sobre la salud, confirmándose la relación que existe entre tristeza-enfermedad y alegría-curación.

Actualmente existen hospitales tan convencidos de esto que facilitan a sus pacientes una biblioteca de literatura de humor, tienen payasos en sus salas y el personal sanitario lleva narices rojas, como las de los payasos, en sus actividades diarias con los enfermos.

En 1988 nació la Asociación para el Humor Terapéutico y Aplicado (AATH, su sigla en inglés), cuyos miembros son especialistas que tienen fe en el poder curativo de la risa. Definen "humor tera-péutico" o "risoterapia" como: cualquier interven-ción que promueve la salud y el bienestar estimu-lando el descubrimiento alegre, la apreciación o expresión de lo absurdo o lo incongruente de las situaciones de la vida.

La risoterapia no se basa en sonrisitas, ni siquiera en carcajadas normales. Hay que aprender a reír con el cuerpo. Las sesiones, de un mínimo de dos horas, suelen tener una estructura bastante parecida: comienza con una fase introductoria en la que se explican ciertos aspectos teóricos sobre la fisiología, psicología y sociología de la risa. A con-tinuación, se realiza un calentamiento del cuerpo con diversos ejercicios físicos y de respiración y se llevan a cabo una serie de juegos para romper el hielo entre los participantes, desinhibirse y desper-tar los cinco sentidos.

Se parte de un cuerpo completamente relaja-do, de forma que se puedan liberar las tensiones

Actualmente, la comunidad científica está tan convencida de la utilidad terapéutica de la risa que muchos hospitales proporcionan a sus pacientes bibliotecas de humor, tienen payasos en sus salas y el personal sanitario lleva narices rojas.

musculares y las preocupaciones, empleando técnicas que ayudan a conseguirlo y así poder llegar a la carcajada. Entre estas técnicas las principales son: la expresión corporal, el juego, la danza, ejercicios de respiración, masajes, ver programas y películas cómicas y técnicas para reír de manera natural. La persona que participa en un taller de estas características posiblemente se sienta absurdo, pero... ¡el absurdo siempre provoca la risa!

☺ PARA RECORDAR ☺

- La "risoterapia" es un concepto relativamente nuevo que se fundamenta en la idea de que reír es bueno para la salud.

- En 1979, Norman Cousins llamó por primera vez la atención sobre las posibilidades terapéuticas de la risa. Cousins había sido diagnosticado con una grave y dolorosa enfermedad. Durante su tratamiento, observó que la risa era un poderoso analgésico: diez minutos de risa le permitían un sueño reparador y sin dolor durante dos horas.

- Para Cousins es fundamental que toda persona adopte una posición activa en el proceso de su propia recuperación, dado que la base de todo está en saber cómo emplear las propias capacidades del paciente.

- Otro famoso cultor de la risoterapia es el doctor Patch Adams. Él es un convencido del potencial del humor en la curación de las enfermedades e hizo del humor y la risa sus aliados.

- En la actualidad, la comunidad científica está tan convencidadel potencial terapéutico de la risa que existen hospitales que ponen a disposición de sus pacientes una biblioteca de humor, tienen payasos en sus salas y el personal sanitario lleva narices rojas.

Reírse hace bien

- En 1988 nació la Asociación para el Humor Terapéutico y Aplicado (AATH, su sigla en inglés). La AATH define la "risoterapia" como: cualquier intervención que promueve la salud y el bienestar estimulando el descubrimiento alegre, la apreciación o expresión de lo absurdo o lo incongruente de las situaciones de la vida.

- Las sesiones de risoterapia no son sólo sesiones de risa. Involucran una serie de ejercicios corporales y suelen tener una estructura bastante parecida:

- Comienzan con una fase introductoria en la que se explican ciertos aspectos teóricos sobre la fisiología, psicología y sociología de la risa.

- Luego, se realiza un calentamiento del cuerpo con diversos ejercicios físicos y de respiración y se intentan juegos para romper el hielo entre los participantes y despertar los sentidos. Entre estas técnicas las principales son: la expresión corporal, el juego, la danza, ejercicios de respiración, masajes, ver programas y películas cómicas y técnicas para reír de manera natural.

Risa, humor, felicidad, optimismo… ¿quién da más?

*No reímos porque somos felices,
sino que somos felices porque reímos.*

William James

Si hacemos un rápido repaso lingüístico, podemos observar que el campo semántico es amplio y variado, lo que nos hace pensar que si no reímos, no será por falta de palabras que tengan relación con la risa.

Risa, buen humor, alegría, optimismo, felicidad, sonrisa, plenitud… Cada palabra, cada concepto, es un ingrediente que podemos cocinar y con el que podemos darle sabor a nuestra vida. Pero hemos de tener buen paladar y saber cuándo y cuánto se echa en cada momento en la cazuela.

Se dice que la distancia más corta entre la verdad y el ser humano es un cuento, es por esto por lo que comenzábamos el libro así y de la misma forma queremos terminar:

Hay un cuento sobre Buda que dice que estando un día él sentado meditando al pie de un árbol, se le acercó un yogui que, con aire triunfante, le dijo:

—Amado maestro, me alegra comunicarte que después de largos años de meditación, de vida ascética y de múltiples sacrificios corporales, por fin he conseguido caminar sobre las aguas.

Buda, sin inmutarse, manteniendo su calma y su sonrisa le contestó:

—Amado discípulo, lástima del tiempo perdido, pues ya hace mucho que se inventaron las barcas.

El gran poeta cubano José Martí escribió: "Las verdades más esenciales caben en el ala de un colibrí". Creemos que la moraleja de este cuento podría estar perfectamente depositada en ese ala, pues recoge todo el significado y la filosofía de vida que hemos querido transmitir a lo largo de estas páginas. Perdemos mucho tiempo y energía buscando la semilla de la felicidad cuando esta se halla en algo tan sencillo como nuestra sonrisa. La felicidad no se encuentra en un concesionario, en una cuenta bancaria, en un estatus social, etc., sino que está en nosotros, en lo sencillo de la vida y que muchas veces no nos detenemos a ver porque estamos inmersos en una búsqueda de algo que no sabemos muy bien qué es pero que, en todo caso, es infructuoso.

La vida se puede parecer a una gran carrera de fondo, para la cual es necesario estar bien entrenado, no solo para poder terminarla sino también para poder recorrerla con la mejor energía en cada tramo. No se trata de competir con nadie ni con nada, pero tampoco se trata de recorrer un itinerario de forma automatizada y sin sentido.

El arte de vivir se basa en la conciencia, pues solo desde esta se puede recorrer el camino. Este camino es para cada persona único e intransferible y por eso se ha de estar atento para reconocerlo bien, para no confundirlo con el de nadie y no hacer de la meta de otra persona nuestra propia meta. Cualquier distracción puede hacer que nos desviemos y nos dirijamos hacia otra ruta, que no tiene por qué ser ni peor ni mejor, pero simplemente no es la nuestra. De nuestra lucidez dependerá el no dejarnos llevar por atajos o por falsas señales.

Solo con conciencia podemos reconocer nuestro camino en la vida. Hay que estar atento para no hacer de las metas de otros las nuestras, cualquier distracción puede llevarnos por otras rutas, que no son ni mejores ni peores, pero no son la nuestra.

134

Se puede vivir desde el tener o se puede vivir desde el ser. En la primera opción te limitarás a hacer de tu vida un conjunto de constantes vitales que no tendrán mayor interés que el puramente biológico y del cual solo serás un sujeto paciente. Desde la segunda será un proceso intenso y sorprendente en el cual tú serás el principal protagonista.

Navegando por Internet puedes encontrar un texto de autor anónimo que nos parece un buen broche final para este libro. Aunque no seamos los autores del mismo, sí que aplicamos a nuestra propia vida este mensaje y te invitamos a que hagas de él también tu carta de navegación:

Nos convencemos a nosotros mismos de que la vida será mejor después...

Después de terminar la carrera, después de conseguir trabajo, después de casarnos, después de tener un hijo, y entonces después de tener otro.

Luego nos sentimos frustrados porque nuestros hijos no son lo suficientemente grandes, y pensamos que seremos más felices cuando crezcan y dejen de ser niños, después nos desesperamos porque son adolescentes, difíciles de tratar.

Pensamos: Seremos más felices cuando salgan de esa etapa.

Luego decidimos que nuestra vida será completa cuando a nuestro esposo o esposa le vaya mejor, cuando tengamos un mejor coche, cuando nos podamos ir de vacaciones, cuando consigamos el ascenso, cuando nos retiremos...

La verdad es que no hay mejor momento para ser feliz que ahora mismo.

Si no es ahora, ¿cuándo? La vida siempre estará llena de luegos, de retos.

Es mejor admitirlo y decidir ser felices ahora de todas formas.

No hay un luego, ni un camino para la felicidad, la felicidad es el camino y es ahora... Atesora cada momento que vives, y recuerda que el tiempo no espera a nadie.

Así que deja de esperar hasta que termines la Universidad, hasta que te enamores, hasta que encuentres trabajo, hasta que te *cases, hasta que tengas hijos, hasta que se vayan de casa, hasta que te divorcies, hasta que pierdas esos diez kilos, hasta el viernes por la noche o hasta el domingo por la mañana; hasta la primavera, el verano, el otoño o el invierno, o hasta que te mueras, para decidir que no hay mejor momento que justamente este para ser feliz...*

La felicidad es un trayecto, no un destino.

Trabaja como si no necesitaras dinero, ama como si nunca te hubieran herido y baila como si nadie te estuviera viendo.

PARA RECORDAR ☺

- Perdemos mucho tiempo y energía buscando la felicidad cuando esta se halla en algo tan sencillo como nuestra sonrisa. La felicidad no se encuentra en las cosas materiales que podamos poseer, sino en nosotros, en lo que a veces no nos detenemos a ver porque estamos buscando ciegamente algo que no sabemos muy bien qué es pero que, en todo caso, es infructuoso.

- La vida se puede parecer a una gran carrera de fondo, para la cual es necesario estar bien entrenado, no solo para poder terminarla sino también para poder recorrerla con la mejor energía en cada tramo. No se trata de competir con nadie ni con nada, pero tampoco se trata de recorrer un itinerario de forma automatizada y sin sentido.

- El arte de vivir se basa en la conciencia, pues solo desde esta se puede recorrer el camino. Este camino es para cada persona único y por eso se ha de estar atento para reconocerlo, para no hacer de la meta de otra persona nuestra propia meta.

- Se puede vivir desde el tener o se puede vivir desde el ser. En la primera opción te limitarás a hacer de tu vida un conjunto de constantes vitales que no tendrán mayor interés que el puramente biológico y del cual solo serás un sujeto paciente. Desde la segunda será un proceso intenso y sorprendente en el cual tú serás el principal protagonista.

• Recuerda siempre que la felicidad es un trayecto y no un destino.

Para saber más

WEBS DE INTERÉS

☺ www.clowns.org

"Payasos sin fronteras" es una asociación sin ánimo de lucro, de ámbito internacional, fundada en 1993 por un colectivo de artistas procedente del mundo de las artes escénicas. Está formada por payasos y otros artistas cuyos objetivos son mejorar la situación psicológica de las poblaciones de campos de refugiados y zonas de conflicto y exclusión, y sensibilizar a nuestra sociedad y promover actitudes solidarias.

☺ www.sonrisamedica.org

La "Sonrisa Médica" es una asociación sin ánimo de lucro que tiene como objetivo conseguir que la risa y la alegría lleguen a los niños hospitalizados a través de actuaciones regulares de payasos profesionales. Sus componentes, además de su formación artística, reciben una formación hospitalaria específica.

www.theodora.org

La fundación internacional Theodora nace en 1993 con el objetivo de aliviar el sufrimiento de los niños hospitalizados por medio de la risa, organizando para ello visitas semanales de artistas profesionales: los "Doctores de la Risa".

Índice